职业教育新能源汽车专业"互联网+"创新型教材

纯电动汽车
故障诊断与排除
第 2 版

天津职业技术师范大学
汽车职业教育研究所   组编

主　编　徐利强　李　平　张瑞民
副主编　马　泽　李精明　陈　真
参　编　周　栋　包丕利　周中荣　霍梦楠　王世超

机械工业出版社

本书是职业教育新能源汽车专业"互联网+"创新型教材。本系列教材采用"基于工作过程"的方法进行开发，内容以典型工作任务为载体进行组织，主要包括动力蓄电池及管理系统故障诊断与排除、充电系统故障诊断与排除、电机驱动系统故障诊断与排除、整车控制系统故障诊断与排除、车身控制系统故障诊断与排除、纯电动汽车综合故障诊断与排除六个学习情境。每个学习情境下还包含若干学习单元，每个学习单元以实际工作任务导入，理论知识包含共性知识和个性知识，实践技能部分以吉利EV450车型和吉利几何车型为例。

本书适合于开设新能源汽车专业的职业院校使用，也可以供新能源汽车技术培训机构使用，同时也可作为新能源汽车从业人员的学习参考书。

本书配有电子课件、二维码视频、任务工单及答案等教学资源，凡使用本书作为教材的教师，均可登录机械工业出版社教育服务网（www.cmpedu.com）注册免费获取。

图书在版编目（CIP）数据

纯电动汽车故障诊断与排除 / 徐利强，李平，张瑞民主编. -- 2版. -- 北京：机械工业出版社，2025.9.
(职业教育新能源汽车专业"互联网+"创新型教材).
ISBN 978-7-111-79236-9

I. U469.72

中国国家版本馆 CIP 数据核字第 20252HF682 号

机械工业出版社（北京市百万庄大街22号　邮政编码100037）
策划编辑：于志伟　　　　责任编辑：于志伟　谢熠萌
责任校对：张亚楠　张　薇　封面设计：张　静
责任印制：任维东
河北宝昌佳彩印刷有限公司印刷
2025年10月第2版第1次印刷
184mm×260mm・12.25印张・273千字
标准书号：ISBN 978-7-111-79236-9
定价：49.00元（含工作页）

电话服务　　　　　　　　网络服务
客服电话：010-88361066　　机 工 官 网：www.cmpbook.com
　　　　　010-88379833　　机 工 官 博：weibo.com/cmp1952
　　　　　010-68326294　　金 书 网：www.golden-book.com
封底无防伪标均为盗版　机工教育服务网：www.cmpedu.com

前 言

2015 年 9 月,《〈中国制造 2025〉重点领域技术路线图（2015 版）》正式公布,明确提出纯电动和插电式混合动力电动汽车、燃料电池电动汽车是国内未来在新能源汽车领域的重点发展方向。2020 年 10 月 7 日,中国汽车工程学会《节能与新能源汽车技术路线图（2.0 版）》正式发布,坚持纯电驱动发展战略,提出面向 2035 年的总体目标,并指出了新能源汽车技术发展更为明确的思路和路径。

随着我国新能源汽车行业的快速发展,急需大批懂新能源汽车维护和维修技术的人才。目前,我国职业院校肩负着培养新能源汽车技术技能人才的历史重任,国内已经掀起了开设新能源汽车专业的热潮。天津职业技术师范大学汽车职业教育研究所联合职业院校、企业,组织编写了本系列理实一体化教材。本书适合于开设新能源汽车专业的职业院校使用,也可以供新能源汽车技术培训机构使用,同时也可作为新能源汽车从业人员的学习参考书。

本系列教材采用"基于工作过程"的方法进行开发。在对新能源汽车技术技能人才岗位调研的基础上,分析出岗位典型工作任务,然后根据典型工作任务提炼了行动领域,在此基础上构建了工作过程系统化的课程体系。为方便职业院校开展一体化教学和信息化教学,为系列教材开发配套了"新能源汽车专业课程及教学资源库平台",为每一个学习单元开发配套了教学设计、教学课件、任务工单、微课视频、VR 视频、教学动画等丰富的教学资源。

本书由徐利强、李平、张瑞民担任主编,马泽、李精明、陈真担任副主编,周栋、包丕利、周中荣、霍梦楠、王世超参与编写。

在本书编写过程中,天津闻达天下科技有限责任公司提供了大量设备和技术支持,在此表示衷心的感谢。同时,在编写过程中参考了大量国内外相关著作和文献资料,在此一并向有关作者表示感谢。由于编者水平有限,书中难免有疏漏之处,敬请读者批评指正。

天津职业技术师范大学汽车职业教育研究所

2021. 2

二维码索引

名　称	二维码	页码	名　称	二维码	页码
仪表显示剩余电量异常故障诊断与排除		1	整车热管理系统故障诊断与排除		69
动力蓄电池管理系统无法通信故障诊断与排除		8	高压互锁故障诊断与排除		78
交流充电口异常故障诊断与排除		22	BCM 供电不正常故障诊断与排除		86
车载充电控制系统故障诊断与排除		30	低压供电不正常故障诊断与排除		101
功率限制指示灯点亮故障诊断与排除		46	无法正常行驶故障诊断与排除		108
电机控制器无法通信故障诊断与排除		53	无法交流充电故障诊断与排除		114

目 录

前言
二维码索引

学习情境 1　动力蓄电池及管理系统故障诊断与排除 …… 1
学习单元 1.1　仪表显示剩余电量异常故障诊断与排除 …… 1
学习单元 1.2　动力蓄电池管理系统无法通信故障诊断与排除 …… 8

学习情境 2　充电系统故障诊断与排除 …… 15
学习单元 2.1　车载交流充电枪异常故障诊断与排除 …… 15
学习单元 2.2　交流充电口异常故障诊断与排除 …… 22
学习单元 2.3　车载充电控制系统故障诊断与排除 …… 30

学习情境 3　电机驱动系统故障诊断与排除 …… 38
学习单元 3.1　驱动电机转动异常故障诊断与排除 …… 38
学习单元 3.2　功率限制指示灯点亮故障诊断与排除 …… 46
学习单元 3.3　电机控制器无法通信故障诊断与排除 …… 53

学习情境 4　整车控制系统故障诊断与排除 …… 60
学习单元 4.1　VCU 与其他控制系统无法通信故障诊断与排除 …… 60
学习单元 4.2　整车热管理系统故障诊断与排除 …… 69
学习单元 4.3　高压互锁故障诊断与排除 …… 78

学习情境 5　车身控制系统故障诊断与排除 …… 86
学习单元 5.1　BCM 供电不正常故障诊断与排除 …… 86
学习单元 5.2　BCM 无法通信故障诊断与排除 …… 94

学习情境 6　纯电动汽车综合故障诊断与排除 …… 101

学习单元 6.1　低压供电不正常故障诊断与排除 …………………………………… **101**
学习单元 6.2　无法正常行驶故障诊断与排除 ……………………………………… **108**
学习单元 6.3　无法交流充电故障诊断与排除 ……………………………………… **114**

参考文献 ………………………………………………………………………………………… **120**

纯电动汽车故障诊断与排除　第 2 版任务工单

学习情境 1

动力蓄电池及管理系统故障诊断与排除

学习目标

- 能根据仪表显示和故障诊断仪检测的故障现象分析故障原因。
- 能制订仪表显示剩余电量异常现象的诊断流程。
- 能根据制订的诊断流程对车辆进行故障诊断。
- 能制订 BMS 无法通信的故障诊断流程。
- 能根据制订的诊断流程对 BMS 进行故障诊断。
- 能根据诊断结果判定故障点，并维修故障。

学习单元 1.1　仪表显示剩余电量异常故障诊断与排除

情境导入

一辆吉利帝豪 EV450 纯电动汽车，客户反映启动车辆后，READY 指示灯没有点亮，车辆无法行驶。经维修技师上电查看发现，除了客户说的故障现象以外，还发现了蓄电池充电警告灯点亮，动力蓄电池故障指示灯点亮，仪表上没有显示蓄电池的剩余电量。经过维修技师诊断，确认是动力蓄电池管理系统（BMS）出现故障，修复后故障现象消失，车辆可以正常行驶。

仪表显示剩余电量异常故障诊断与排除

故障原因分析

仪表显示剩余电量异常是指在仪表盘上没有正确地将动力蓄电池的信息显示出来。正常情况下，仪表可以显示动力蓄电池的剩余电量、总里程和续驶里程等。当动力蓄电池状态显示异常时，一般不能正常显示剩余电量，会显示一些与动力蓄电池相关的故障指示灯或警告灯。一般这类故障并不是由动力蓄电池自身故障导致的，而是由于 BMS 故障、VCU（整车控制器）故障、绝缘故障以及总线故障导致的。

由图 1-1-1 可以看出来，动力蓄电池的信息首先通过动力蓄电池内部 CAN 线发送到 BMS，然后经过 BMS 的收集处理，将信息通过 PCAN 传递给 VCU，VCU 处理后将信息通过 VCAN 传递给 BCM（车身控制模块），BCM 通过 VCAN 将信息传递给仪表进行显示。因此可以看出，如果仪表盘没有正确地将动力蓄电池信息显示出来，则故障点包含以上信息所传递的环节。

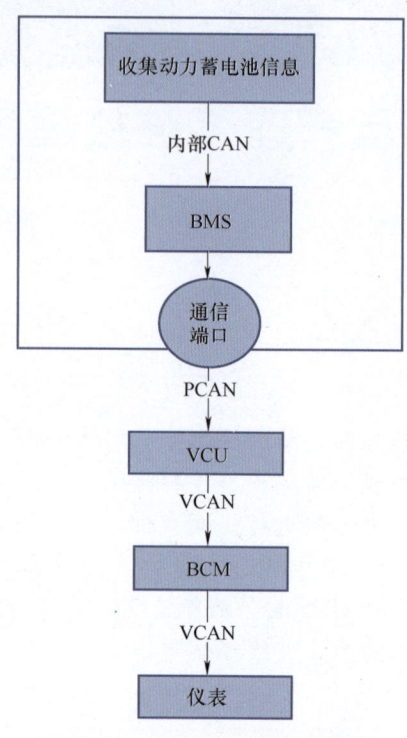

图 1-1-1　动力蓄电池信息传递

仪表显示剩余电量异常的故障点分析如图 1-1-2 所示。

通过动力蓄电池剩余电量异常的故障点分析，BMS 的故障主要包含 BMS 供电异常、BMS 插接器故障、BMS 通信故障和 BMS 自身损坏。BMS 供电异常往往是由于 BMS 供电电路故障导致的，例如供电电路断路、短路、熔丝熔断等，当出现这类故障时，需要对 BMS 供电电路进行进一步的检查，以确定故障点位置。BMS 插接器故障一般是由于进水氧化、维修时没有插接到位、车辆发生碰撞时损坏到插接器等，这类故障主要检查插接器外观及内部，来确定故障部位。BMS 通信故障主要是 BMS 与低压控制盒通信及 BMS 与 VCU 的通信故障，一般的通信故障主要检查 CAN 线是否异常。BMS 损坏一般是由外部原因导致的 BMS 内部元器件损坏、内部电路故障等，该类故障一般不好进行判断。一种办法是，如果对其他故障进行排除后，仍不能解决问题，则可认为是 BMS 损坏；另一种办法是，直接拿一个好的 BMS 换上，故障排除就可以确定是 BMS 损坏。

VCU 出现故障时，也会出现动力蓄电池剩余电量显示异常。当 VCU 供电异常时，动力蓄电池状态也不能正常显示。另外，VCU 插接器故障一般是由于进水氧化、维修时没有插接到位、车辆发生碰撞时损坏到插接器等，这类故障主要检查插接器外观及内部，来确定故障部位。VCU 通过 PCAN 总线与

BMS进行通信，当通信出现异常时，动力蓄电池状态也不能正常显示。VCU通过CAN总线与BCM进行通信，当通信出现异常时，仪表也不能正常显示动力蓄电池信息。

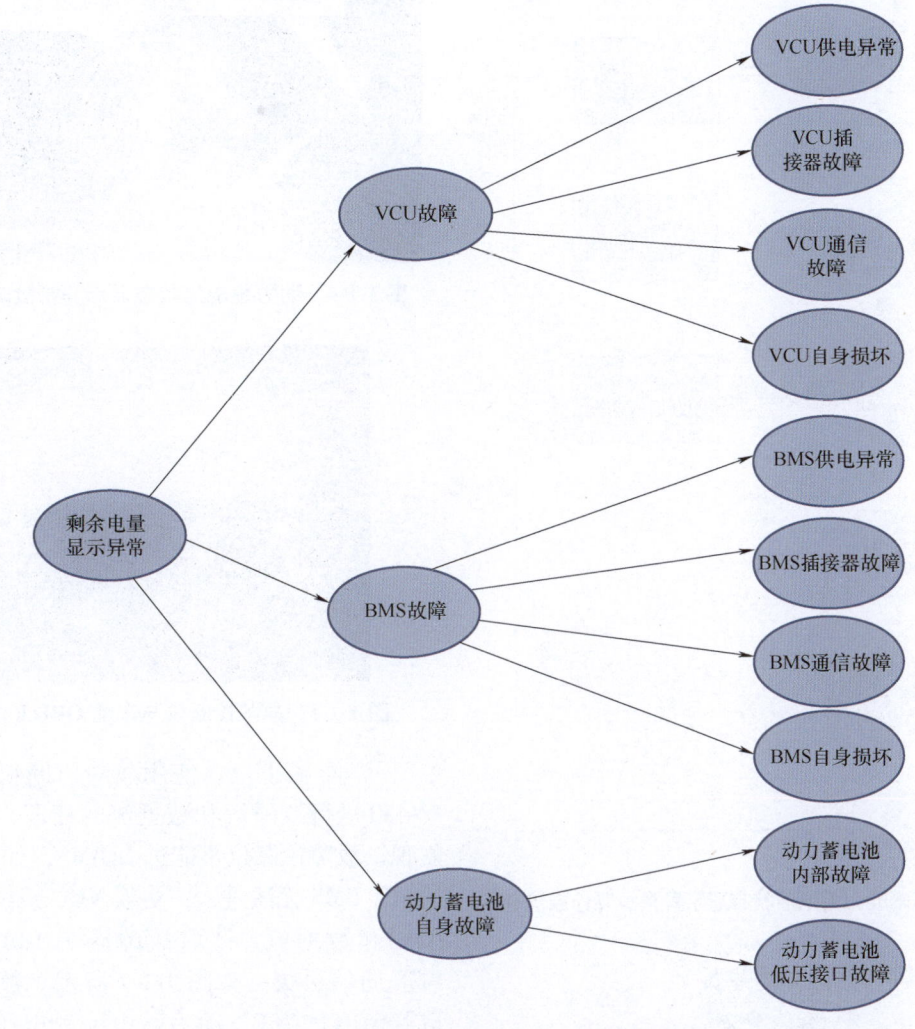

图1-1-2　仪表显示剩余电量异常的故障点分析

动力蓄电池自身出现故障时，显示的动力蓄电池剩余电量为动力蓄电池的异常状况信息。故障点主要包括动力蓄电池低压接口故障和动力蓄电池内部故障。动力蓄电池内部故障又可以分为动力蓄电池本体故障和传感器故障两类。

故障诊断流程

当车辆发生动力蓄电池状态显示异常故障时，一般遵循图1-1-3所示的故障诊断流程进行故障排除。

首先要判定仪表是否能正常显示，如果仪表能正常显示，说明BCM没有发生故障且与仪表盘之间通信正常，然后判定是否由于BMS供电异常和通信异常导致的故障，如果BMS工作正常，则可以对VCU供电和通信进行检查。

BMS和VCU工作都正常，可以怀疑是动力蓄电池自身故障导致的。

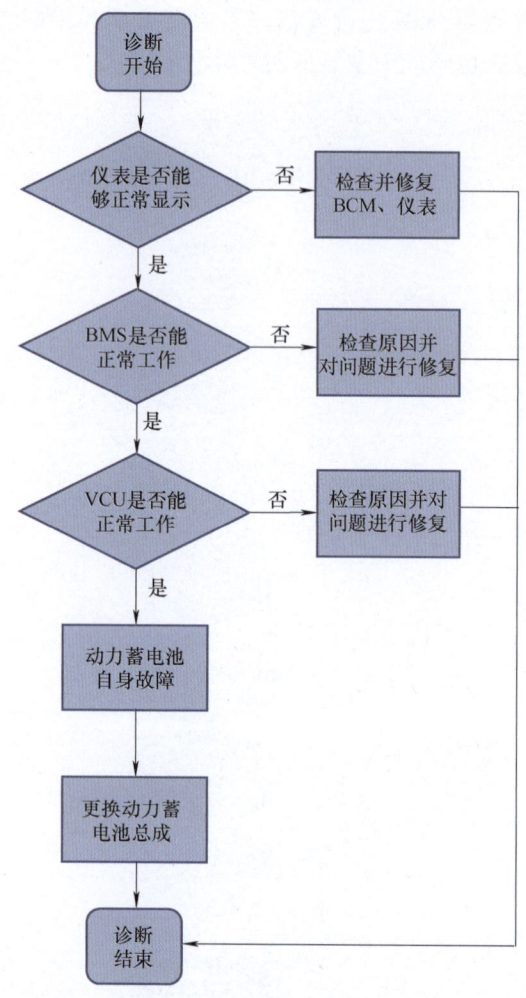

图 1-1-3 车辆动力蓄电池状态显示异常故障诊断流程

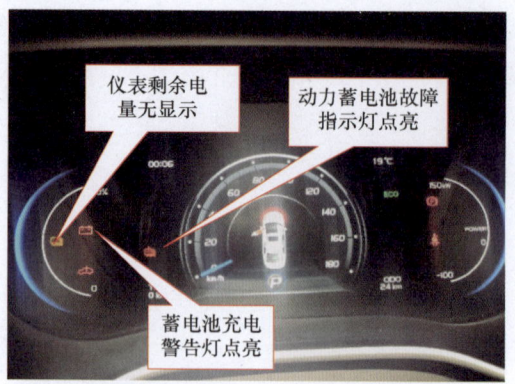

图 1-1-4 动力蓄电池状态显示异常故障确认

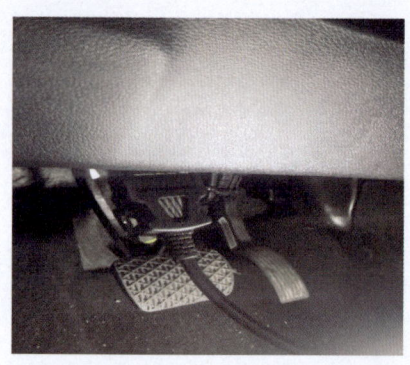

图 1-1-5 故障诊断仪与车辆 OBDⅡ连接

💡 故障诊断与修复

下面利用上述诊断流程，完成情境导入中动力蓄电池状态显示异常故障的检测、诊断与修复。

1）根据客户描述的故障现象，检查组合仪表的故障提示，发现 READY 指示灯没有点亮，车辆无法行驶，蓄电池充电警告灯点亮，动力蓄电池故障指示灯点亮，仪表上没有显示蓄电池的剩余电量，等待 4min 后，系统故障警告灯点亮，如图 1-1-4 所示。

2）关闭点火开关，将故障诊断仪与车辆 OBDⅡ诊断口连接，如图 1-1-5 所示。

3）车辆上电，使用故障诊断仪对帝豪 EV450 进行故障码和数据流的读取，读取后发现，故障诊断仪不能进入 BMS，如图 1-1-6 所示。BMS 无法进入，更换 VCU 系统读取故障码和数据流，读取故障码为 U011287 与 BMS 通信丢失，如图 1-1-7 所示。数据流读取剩余电量为 0，动力蓄电池总电压为 0V。通过仪表显示的信息和故障诊断仪所读取的信息，初步判断为 BMS 可能出现故障，故障部位可能是 BMS 的供电和通信，按照由简入难的故障诊断思路，可以先对动力蓄电池的供电进行检查。

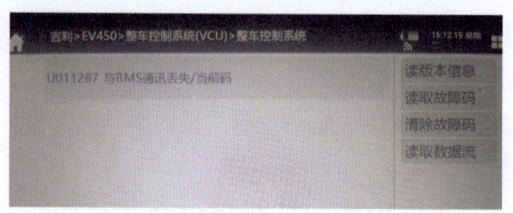

图 1-1-6 无法进入 BMS

学习情境 1　动力蓄电池及管理系统故障诊断与排除

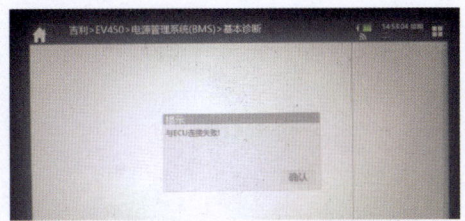

图 1-1-7　读取 VCU 故障码

4）查阅吉利帝豪 EV450 纯电动汽车 BMS 电路图，确定故障范围为 BMS 自身及其相关电路、熔丝、继电器、插接器等，根据故障范围找到 BMS 模块供电熔丝为 EF01，供电电路为 B+ 至 CA69/1 号针脚，如图 1-1-8 所示。

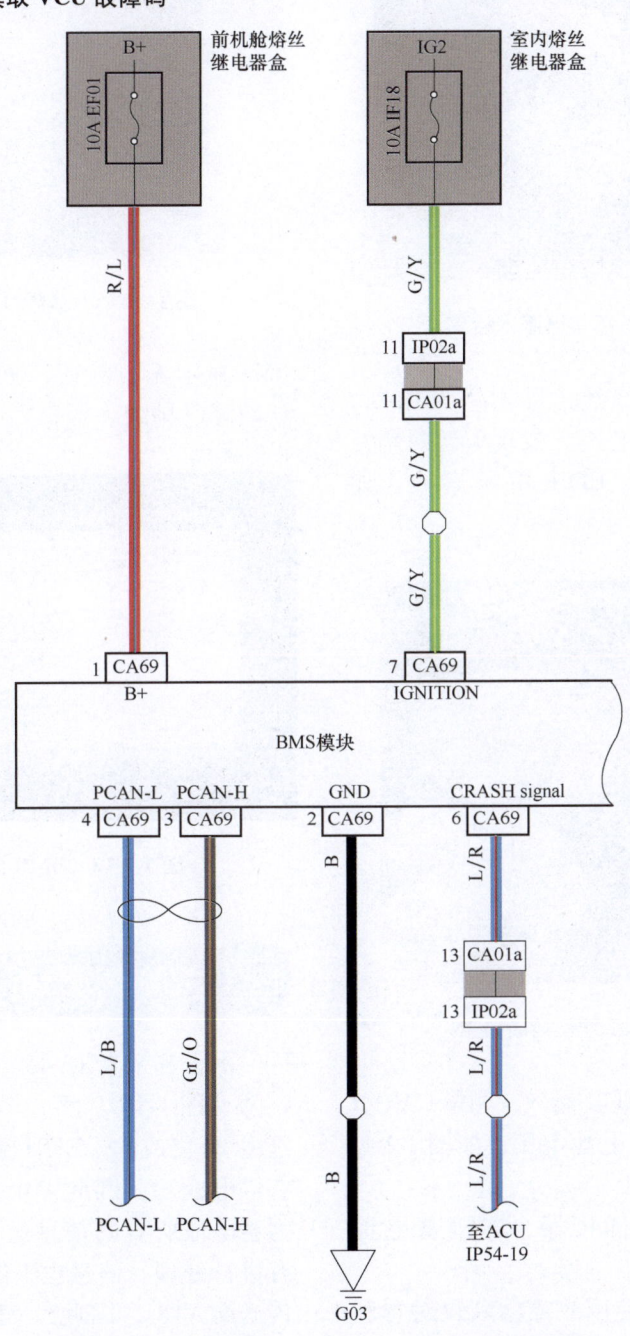

图 1-1-8　吉利帝豪 EV450 纯电动汽车 BMS 电路图

5）断开蓄电池负极，等待5min，进行基本检查，查看CA69插接器外观及连接情况是否正常，如图1-1-9所示。

图1-1-9　CA69插接器基本检查

6）检查EF01熔丝，目测熔丝熔断，再用数字钳形万用表检查，发现熔丝两侧针脚电阻为OL，确定EF01熔丝熔断，如图1-1-10所示。

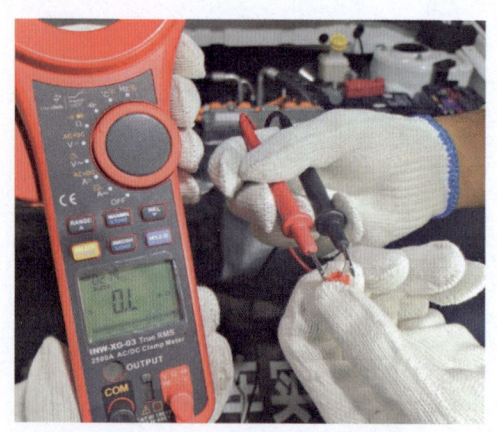

图1-1-10　EF01熔丝熔断检查

7）更换10A的EF01熔丝，测量CA69/1号针脚电压为当前蓄电池电压，如图1-1-11所示。

8）连接CA69插接器，连接蓄电池负极。

9）车辆上电，使用故障诊断仪对吉利帝豪EV450进行故障码和数据流的读取，

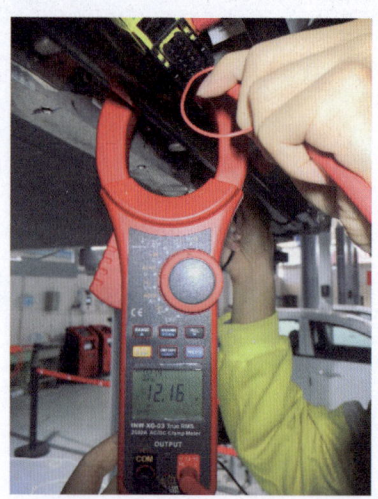

图1-1-11　CA69/1针脚电压检查

BMS显示无故障码，如图1-1-12所示，确认故障已排除。

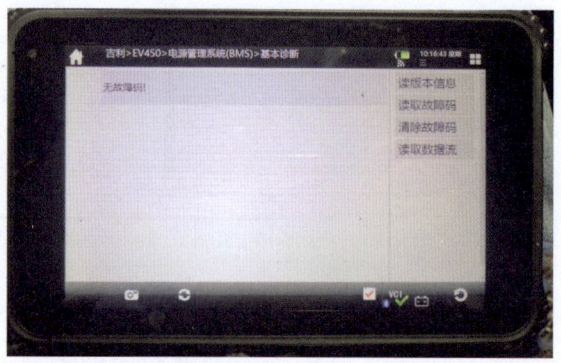

图1-1-12　BMS显示无故障码

故障案例分析

由吉利帝豪EV450纯电动汽车BMS电路图（图1-1-8）可以分析出，BMS的供电是由B+完成的，EF01熔丝熔断时，BMS没有供电成功，因此BMS未能正常工作，动力蓄电池所有的信息送达BMS后，BMS没有进行处理，信息也不能够通过PCAN总线传送给VCU，因此仪表不能正确地获取动力蓄电池信息并显示。

学习小结

1. 仪表显示动力蓄电池状态异常时，一般不能正常显示剩余电量等参数，这类故障是由于 BMS 故障、VCU 故障和动力蓄电池自身故障等导致的。
2. 动力蓄电池的信息首先通过内部 CAN 线发送到 BMS，然后通过 BMS 的 PCAN 总线传递给 VCU，再由 VCU 通过 VCAN 总线传递给 BCM，由 BCM 将信息传递给仪表盘进行显示。
3. BMS 的故障主要包含 BMS 供电异常、BMS 自身损坏、BMS 通信故障、BMS 插接器故障。
4. VCU 故障、动力蓄电池自身故障，也可能出现动力蓄电池状态显示异常的情况。

课外小故事

破界者——李书福的"汽车乌托邦"

李书福，吉利控股集团创始人及董事长，中国汽车工业的领军人物之一。他从一个普通的农村青年成长为全球汽车行业的重要参与者，带领吉利集团成功收购沃尔沃，并推动中国汽车品牌走向世界。他不仅是企业家，更是中国汽车工业自主创新的践行者。

李书福年轻时便展现出非凡的商业头脑。1982 年，他高中毕业后开始创业，从照相馆到电冰箱配件厂，再到摩托车制造，每一步都体现了他对市场的敏锐洞察和敢为人先的勇气。1997 年，李书福进军汽车行业，吉利成为中国第一家民营汽车制造商。

2001 年，吉利汽车正式获得国家轿车生产资质，李书福带领团队不断攻克技术难关，推动自主创新。2010 年，吉利以 18 亿美元收购瑞典豪华汽车品牌沃尔沃，震惊全球汽车行业。这次并购不仅提升了吉利的技术实力，也为中国汽车品牌国际化树立了标杆。李书福说："我们要让中国汽车跑遍全世界，而不是让全世界的汽车跑遍中国。"

如今，吉利已成为拥有多个国际品牌的全球性汽车集团，李书福依然坚持技术创新和人才培养。他积极推动新能源汽车和智能网联技术的发展，为中国汽车工业的转型升级贡献力量。2020 年，吉利控股集团入选《财富》世界 500 强，李书福的梦想正在一步步变为现实。

从"草根创业"到"全球布局"，李书福用他的奋斗故事诠释了中国企业家的拼搏精神和家国情怀。他不仅是吉利的领路人，更是中国汽车工业崛起的见证者和推动者。

学习单元 1.2　动力蓄电池管理系统无法通信故障诊断与排除

情境导入

动力蓄电池管理系统无法通信故障诊断与排除

一辆吉利帝豪 EV450 纯电动汽车，客户反映启动车辆后，车辆无法行驶，仪表上出现了很多以前没有见过的灯光。根据客户描述的故障现象，维修顾问将车辆交给维修技师，经技师上电查看发现，除了客户说的故障现象以外，还发现了 READY 指示灯没有点亮，蓄电池充电警告灯点亮，动力蓄电池故障指示灯点亮。经过维修技师诊断，确认 BMS 的 PCAN-H 总线通信故障，维修 PCAN-H 总线后故障消失，车辆可以正常行驶。

故障原因分析

吉利帝豪 EV450 纯电动汽车 BMS 主要与 VCU 通信，BMS 属于高压控制模块，它与 VCU 通信采用 PCAN 的通信方式，BMS 故障或 PCAN 总线故障等导致的 VCU 不能有效地获取动力蓄电池状态，VCU 会认为动力蓄电池处于某种不正常的情况，报给 BCM 动力蓄电池故障，BCM 会传递给仪表，仪表会显示动力蓄电池故障指示灯点亮。

BMS 无法通信的故障点分析如图 1-2-1 所示。

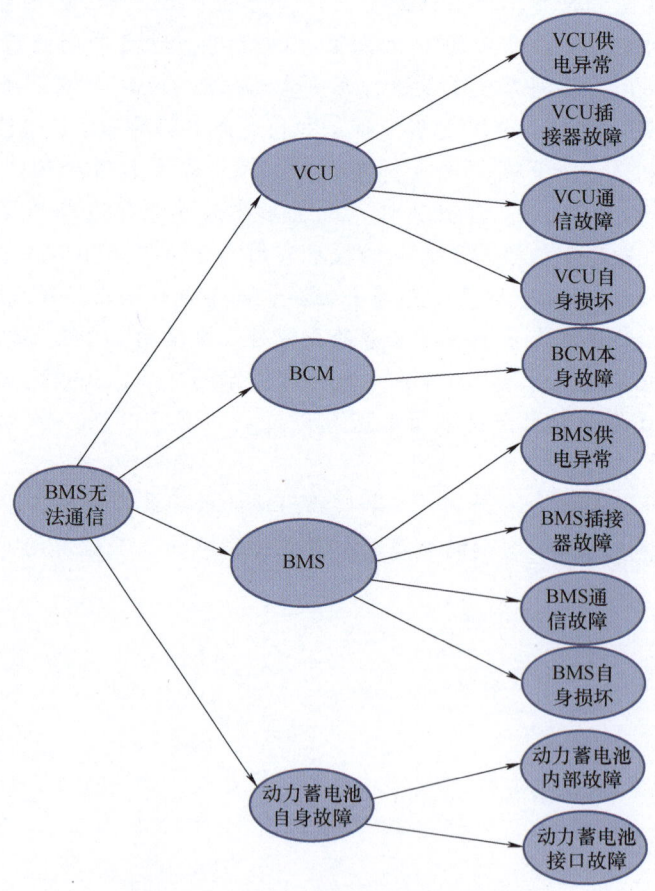

图 1-2-1　BMS 无法通信的故障点分析

BMS 无法通信的故障和动力蓄电池状态显示信息异常的故障相比较，它们的故障现象是类似的，但前者的故障更难维修和查找，需要更深入地对故障进行分析和诊断。

当 BMS 出现故障时，VCU 不能正确获取动力蓄电池的信息，VCU 会认为动力蓄电池已经发生故障，VCU 会把信息传递给 BCM，从而在仪表上显示动力蓄电池故障。如果采用故障诊断仪进行故障诊断，会发现能够正常进入吉利帝豪 EV450 纯电动汽车 VCU 读取各类信息，但不能进入 BMS 读取信息。

吉利帝豪 EV450 纯电动汽车 VCU 发生故障时，BMS 能将信息有效传递给 VCU，但是 VCU 不能正确处理，而且也不能向 BCM 传递正确的动力蓄电池信息，BCM 接收不到动力蓄电池的相关信息，会按照自身初始设置显示出故障码，这种情况下，用故障诊断仪读取 VCU 模块时，不能进入 VCU 系统，不能读取到 VCU 的任何相关信息。

BCM 发生故障时，BCM 不能正确接收 VCU 信息，BCM 会要求仪表按照初始设置报故障码，此时会显示动力蓄电池故障，但该情况下，动力蓄电池、VCU 是正常状态，因此这类故障需谨慎判断，这类故障使用诊断仪进行诊断，会发现能够正常进入 BMS、VCU，各项指标都正常，但仪表依然显示动力蓄电池故障。

当动力蓄电池自身发生故障时，特别是动力蓄电池内部断路等故障，采用故障诊断仪诊断时，会发现 BMS、VCU 模块能正常进入，但是读取到的动力蓄电池信息是不正确的，如动力蓄电池总电压、剩余电量等数据。

故障诊断流程

当吉利帝豪 EV450 纯电动汽车发生动力蓄电池无法通信故障时，一般遵循图 1-2-2 的故障诊断流程进行排除。

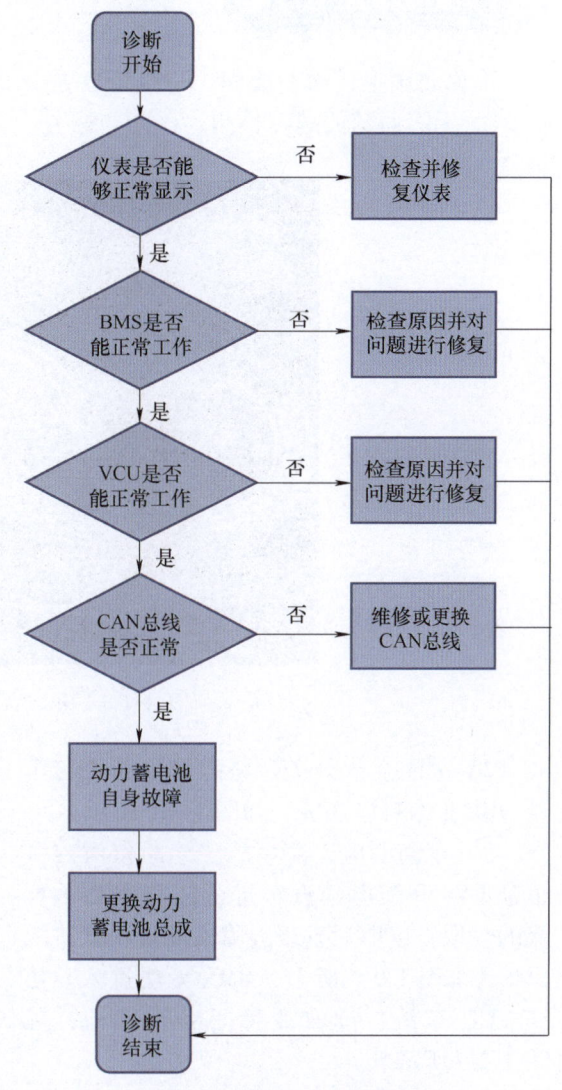

图 1-2-2　车辆发生动力蓄电池无法通信故障时诊断流程

首先要判定仪表是否能正常显示，如果仪表能正常显示，说明 BCM 没有发生故障且和仪表盘之间通信正常，然后判定是否由于 BMS 与 VCU 供电异常和通信异常导致的故障，如果 VCU 工作正常，则可以对 BMS 供电和通信进行检查。

仪表、BCM、BMS 及 VCU 工作都正常，可以怀疑是动力蓄电池自身故障导致的。

故障诊断与修复

下面利用上述诊断流程，完成情境导入中 BMS 无法通信的故障检测、诊断与修复。

1）根据客户描述的故障现象，检查组合仪表的故障提示，发现 READY 指示灯没有点亮，车辆无法行驶，蓄电池充电警告灯点亮，动力蓄电池故障指示灯点亮，如图 1-2-3 所示。

图 1-2-3　BMS 无法通信的故障确认

2）关闭点火开关，将故障诊断仪与车辆 OBD Ⅱ 诊断口连接，如图 1-1-5 所示。

3）车辆上电，使用故障诊断仪对吉利帝豪 EV450 纯电动汽车进行故障码和数据流的读取，读取后发现故障诊断仪不能进入 BMS，如图 1-2-4 所示，BMS 无法进入。更换 VCU 系统，读取故障码和数据流，如图 1-2-5 所示。

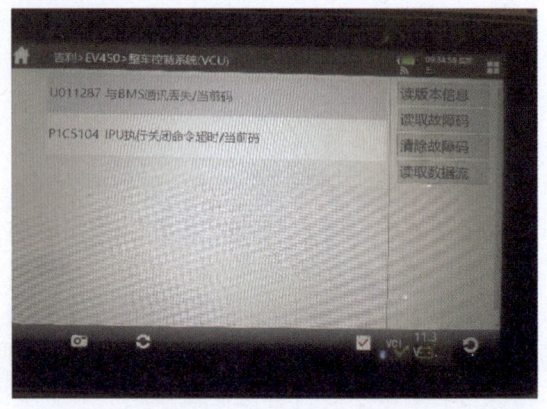

图 1-2-5　读取 VCU 故障码

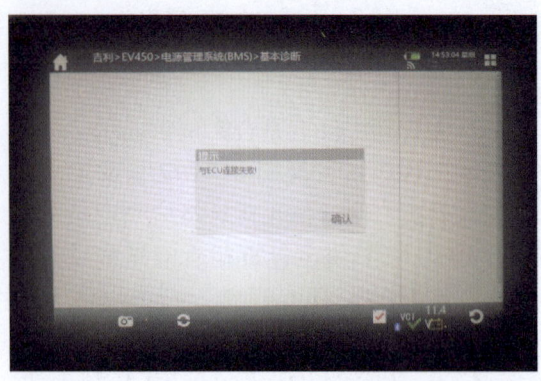

图 1-2-4　无法进入 BMS

4）根据故障码和数据流，查阅吉利帝豪 EV450 纯电动汽车 BMS 及总线通信系统电路图，通过仪表显示的信息和故障诊断仪所读取的信息，初步判断为 BMS 通信可能出现故障，故障部位可能是 BMS 的 PCAN 总线，由简入难的故障诊断思路，可以先对动力蓄电池的供电进行检查，如图 1-2-6 所示。

学习情境 1　动力蓄电池及管理系统故障诊断与排除

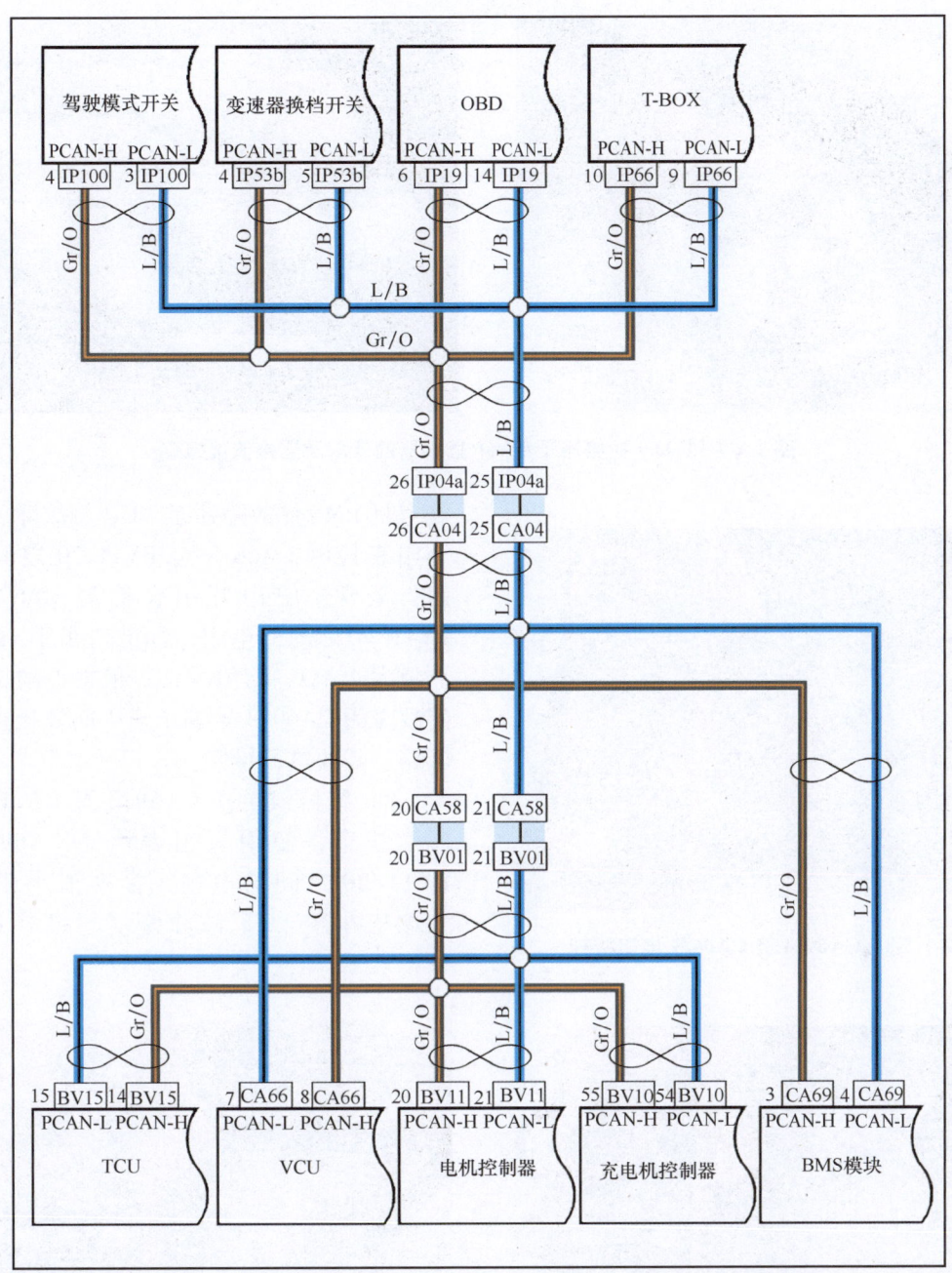

图 1-2-6　吉利帝豪 EV450 纯电动汽车 BMS 及总线通信系统电路图

5）断开蓄电池负极，等待 5min，进行基本检查，CA69 插接器及 CA66 插接器外观及连接情况是否正常，如图 1-2-7 所示。

6）检查 BMS 与 VCU 之间的 PCAN 总线，使用万用表电阻档，检查 CA69/4 至 CA66/7 之间 PCAN-L 电阻，电阻正常，如图 1-2-8 所示。再次用万用表电阻档，检查 CA69/3 至 CA66/8 之间 PCAN-H 电阻，标准值小于 1Ω，实测值大于 1Ω，阻值异常，如图 1-2-9 所示。

图 1-2-7　CA69 插接器及 CA66 插接器的外观及连接情况检查

图 1-2-8　CA69/4 至 CA66/7 电阻检查

确定是 BMS 侧故障还是 VCU 侧故障，使用万用表检测 CA66/8 至 BV11/20 之间的电阻，正常，使用万用表检测 CA69/3 至 BV11/20 之间的电阻，标准值小于 1Ω，实测值大于 1Ω，阻值异常，根据检测结果判定故障为 CA69/3 号端子至中间铰接点线束断路，需要进行维修。

8）维修或更换 CA69/3 至 CA66/8 之间的线束，使用万用表检测 CA69/3 至 BV11/20 之间的电阻，标准值小于 1Ω，实测值小于 1Ω，故障修复，如图 1-2-10 所示。

图 1-2-9　CA69/3 至 CA66/8 电阻检查

图 1-2-10　CA69/3 至 CA66/8 电阻维修后检测

7）测量出 CA69/4 至 CA66/7 电阻阻值异常，按照故障诊断原则确定到最小范围，

9）连接 CA69、CA66 插接器，连接蓄电池负极。

10）车辆上电，使用故障诊断仪对帝豪 EV450 纯电动汽车进行故障码和数据流的读取，BMS 显示无故障码，如图 1-2-11 所示，确认故障已排除。

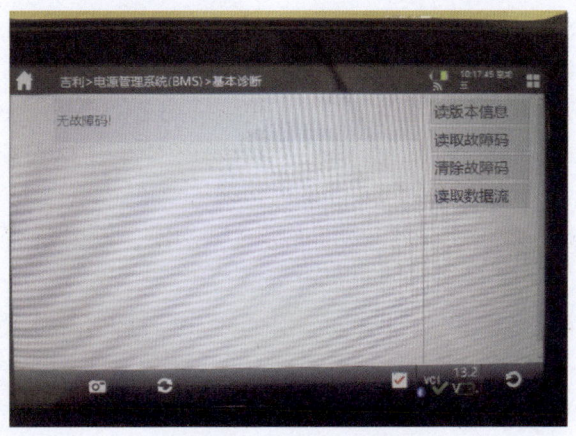

图 1-2-11　显示无故障码

故障案例分析

吉利帝豪 EV450 纯电动汽车通信拓扑图如图 1-2-12 所示，动力蓄电池采用的是内部 CAN 总线进行通信，将动力蓄电池的信息发送给 BMS，BMS 将信息处理后，通过 PCAN 总线发送给 VCU，VCU 和 BCM 之间的通信使用的是 VCAN 总线。

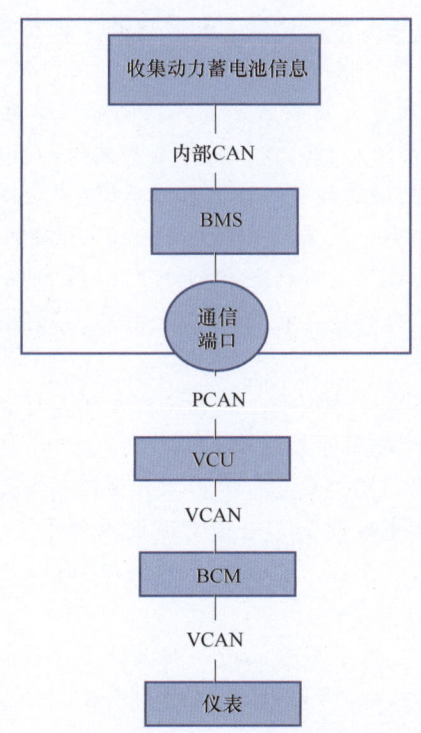

图 1-2-12　吉利帝豪 EV450 纯电动汽车通信拓扑图

学习小结

1. BMS 无法通信故障分为两种：一种是 BMS 无法与外界通信，另一种是外界计算机无法接收到 BMS 信号。

2. 动力蓄电池的信息首先通过内部 CAN 线发送到 BMS，然后通过 BMS 的 PCAN 总线传递给 VCU，再由 VCU 通过 VCAN 总线传递给 BCM，由 BCM 将信息传递给仪表盘进行显示。

3. 排除 CAN 总线故障时，一定要确定到最小范围，否则故障点是无法获取到的，故障点确定不了就无法对故障进行有效的维修或更换。

4. BMS 的故障主要包含 BMS 供电异常、BMS 自身损坏、BMS 通信故障、BMS 插接器故障。

5. 当 BMS CAN 线发生故障时，信息不能传递给 VCU，VCU 就认为动力蓄电池出现故障，因此仪表上就会显示蓄电池充电警告灯点亮，动力蓄电池故障指示灯点亮。

课外小故事

毫厘战绩——张永的机械针灸术

张永，某大型汽车维修企业技术总监，全国技术能手，国家级技能大师工作室领办人。从业 20 余年来，他始终坚守维修一线，凭借精湛的技术和精益求精的态度，成为行业公认的"汽车医生"。他曾多次攻克进口豪车疑难故障，为企业节省数百万元维修成本，并培养出一批批高技能人才，诠释了新时代的工匠精神。

（1）扎根一线，精益求精　张永 18 岁进入汽修行业，从学徒做起。为了掌握技术，他每天最早到车间，最晚离开，反复拆装零部件，记录故障现象，研究维修手册。一次，一辆进口豪华车因电路故障无法启动，多位技师束手无策。张永连续工作 36h，逐段排查电路，最终发现是一个隐蔽的熔丝接触不良。客户感慨："这样的技术，让人放心！"

（2）创新方法，提升效率　随着汽车技术迭代，张永不断学习新知识。他自主研发了"汽车故障快速诊断系统"，将传统排查时间缩短 50%。针对新能源汽车维修难题，他总结出"三查两测"工作法，被行业广泛推广。他说："工匠精神不仅是坚持，还要用智慧让技术更高效。"

（3）传道授业，培育新人　2018 年，张永技能大师工作室成立。他编写了《现代汽车维修典型案例集》，并坚持每周开展技术培训。他的徒弟中，12 人获省级技术能手称号。张永常说："技术要传承，匠心更要传承。只有年轻人成长起来，行业才有未来。"

（4）荣誉与责任　张永先后荣获"全国交通技术能手""五一劳动奖章"等称号，但他依然每天穿着工装穿梭在车间。"每辆车的故障都是新课题，"他说，"工匠的快乐，就在解决问题的瞬间。"

从普通技工到行业标杆，张永用专注与创新演绎了工匠精神的深刻内涵。他的故事证明：在平凡的岗位上追求极致，同样能成就精彩人生。

学习情境 2

充电系统故障诊断与排除

学习目标

- 能根据车辆充电异常现象分析故障原因。
- 能制订车辆充电异常现象诊断流程。
- 能根据车辆仪表显示充电异常现象分析故障原因。
- 能制订仪表显示充电异常现象的诊断流程。
- 能根据制订的诊断流程对车辆进行故障诊断。
- 能根据诊断结果判定故障点,并维修故障。

学习单元 2.1 车载交流充电枪异常故障诊断与排除

情境导入

一辆吉利帝豪 EV450 纯电动汽车,客户反映车辆充电时插上充电枪,仪表无任何充电连接显示,无法正常充电。经维修技师检查,确定为充电枪内部电阻损坏,修复后故障现象消失,能够进行正常充电。

故障原因分析

车辆充电异常是指电动汽车正确连接充电枪或充电桩后不能正常对车辆充电。车辆充电异常故障现象可以分为车辆仪表不显示充电、车辆仪表显示充电电流小两种。仪表一直显示充电电流小,一般是由于动力蓄电池本身故障或者使用车载充电枪型号与原车不匹配导致的。

车辆不能正常充电的原因主要有五个:车辆外部设备故障、车辆 VCU 故障、动力蓄电池本身故障、通信故障以及相关电路故障(图 2-1-1)。

(1)车辆外部设备故障 车辆需要利用外部设备进行充电,充电的方式包括充电桩充电和家用插座充电两种。采用充电桩充电时,充电异常则可能是充电桩及电路故障,具体故障点包括充电桩本身故障、充电连接线故障、充电枪故障。采用家用 220V 充电时,充电异常主要的故障点则包括充电插座故障、充电连接线故障、充电枪故障。

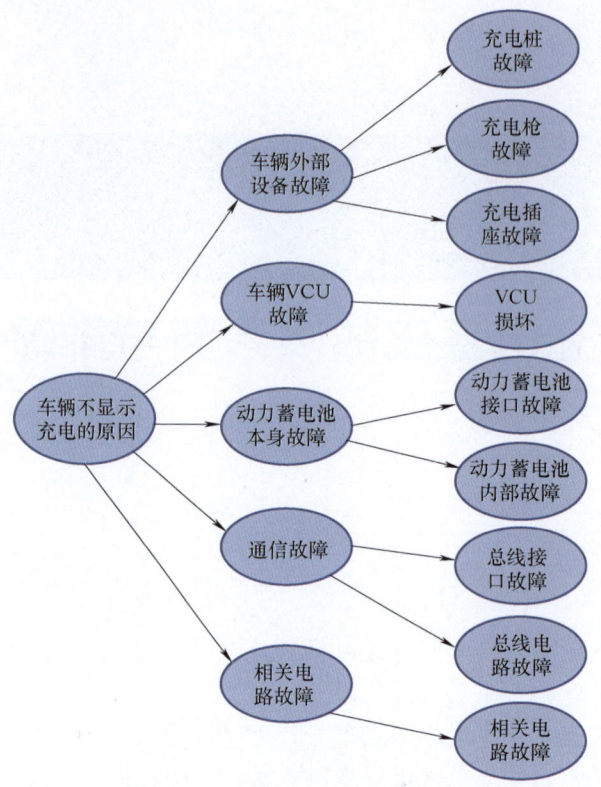

图 2-1-1　车辆不显示充电的原因

(2) 车辆 VCU 故障　车辆 VCU 发生故障也会使车辆出现充电异常现象,当车辆充电时,无论采用快充还是家用慢充,都需要接收充电连接信号和充电确认信号,当 VCU 确认连接后,通过总线和 BMS 进行通信,当 VCU 故障时,无法产生正常通信信号,不能进行正常充电。

(3) 动力蓄电池本身故障　动力蓄电池是电能的载体,充电的过程就是将电能转化为化学能,当动力蓄电池本身发生故障时,也会出现充电异常现象。故障的主要原因可能是 BMS 故障、接口故障、内部传感器故障或者动力蓄电池本身硬件故障,这就需要对动力蓄电池进行进一步的检查。

(4) 通信故障　电动汽车采用总线通信,当 CAN 总线发生故障时,会导致充电无法唤醒,因此不能正常充电。

(5) 相关电路故障　相关电路故障主要是指各种电路连接是否正常,以及各个控制模块电源线、搭铁线、信号线等,都称为电路故障。

故障诊断流程

车辆发生充电异常故障时,一般需要遵循由简入难的检测排除原则,但是由于新能源汽车的特殊性,高压电会对人体造成伤害,所以应先判断车辆是否有绝缘故障,确定没有绝缘故障后再进行检查。故障发生时,应判断故障原因是在车外还是在车辆自身,因此,从检查外部充电设备是否正常开始,如果外部设备正常,则检查车辆自身故障。

采用家用电 220V 插座进行充电时,具体诊断流程如图 2-1-2 所示,当车辆充电异常时,首先进行车外的检查,检查插座是否正常供电,可用万用表检测,如不正常更换插座。

学习情境 2　充电系统故障诊断与排除

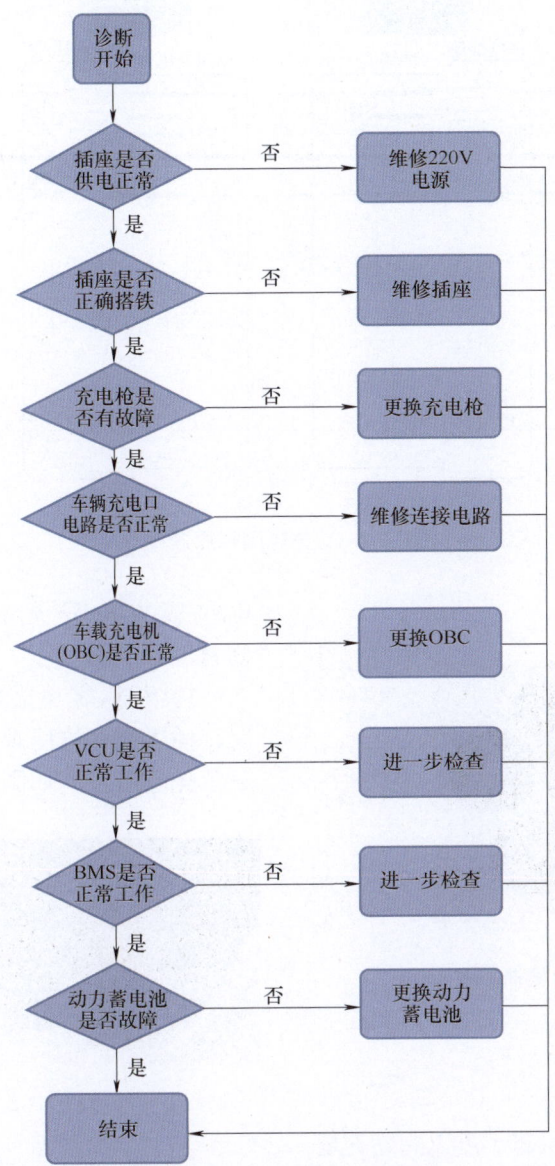

图 2-1-2　车辆充电异常故障诊断流程

如果检查供电正常，则需要检查插座搭铁是否正常，这是容易疏忽的地方，可用万用表测量搭铁情况，搭铁不良则更换插座，重新进行测量，排除插座故障，检查交流充电枪是否有故障。由于充电枪和充电口为国家标准，端子号相同，所以可参考任何充电枪电路，原理和接口如图 2-1-3 和图 2-1-4 所示。

从原理中可以看到，CC 端子为连接确认信号端子，当充电枪正常连接 220V 插座后，该端子电压为 12V，按下充电枪蓝色锁止按钮，电压为 0V，当充电枪和车上充电口连接后，该端子电压下降到 2V 左右。

CP 端子为充电控制确认信号端子，未插入车辆充电口前电压低于 2V，插入充电口后该端子电压上升到 8V 以上。

L 端子为相线端子；

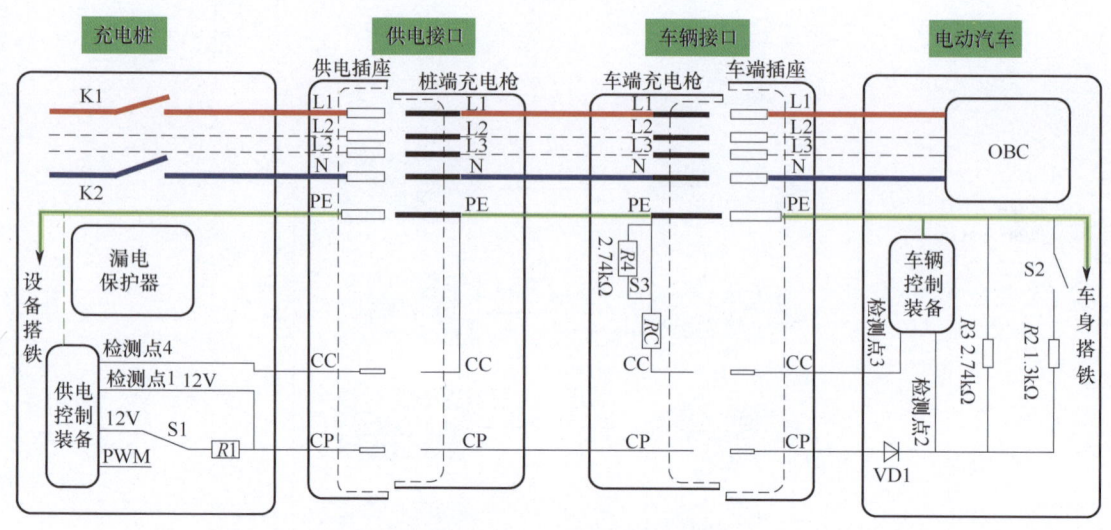

图 2-1-3 充电国标原理图

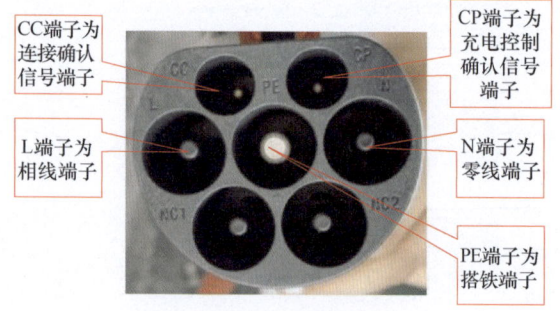

图 2-1-4 充电枪端子图

N 端子为零线端子；
PE 端子为搭铁端子。

通过检查端子信号状态，可以判断充电枪是否正常，如果充电枪故障，则需要进行更换。

检查充电枪无故障，则需要检查车辆控制端电路电压、电阻情况，以判断 VCU 和 BMS 是否有故障，进行下一步诊断和专业检查。

故障诊断与修复

根据上述诊断流程，完成情境导入中车辆充电异常故障的检测、诊断与修复。

1）根据客户描述的现象，检查车辆情况，插入充电枪后观察仪表无任何显示，未显示充电连接，如图 2-1-5 所示。

图 2-1-5 故障确认

2）首先检查充电连接插座是否正常供电，经检查，供电电压正常，为 220V。

3）检查充电连接插座是否正常搭铁，经检查，搭铁正常。

4）检查充电枪端子 CP，拔下交流充电枪，用万用表测量 CP 端子电压，电压为 12V，电压正常，如图 2-1-6 所示。

5）检查充电枪 CC 端子与 PE 搭铁端子电阻，检测结果为 3.3kΩ，按下充电枪按钮，仍然是 3.3kΩ 不变化，属于不正常现

学习情境 2　充电系统故障诊断与排除

图 2-1-6　CP 端子电压测量

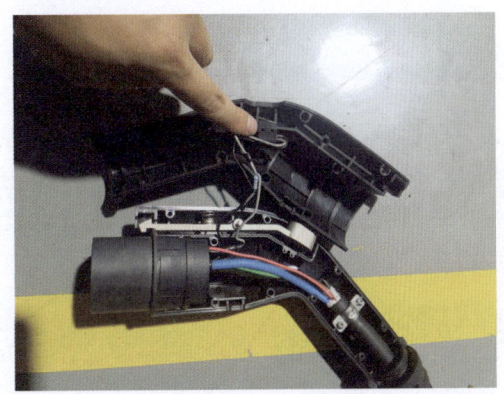

图 2-1-8　充电枪检查

象，正常情况按下充电枪按钮电阻应变大，因为充电枪按钮在电路原理中是 S3 开关，正常是常闭，按下按钮打开，CC 端子由于串联电阻电压变化，产生充电枪连接信号，因此判断充电枪内部损坏。无法产生连接信号，导致出现无法充电现象，测量结果如图 2-1-7 所示。

量，测量 CC 端子电阻接近 1.5kΩ，按下充电枪按钮后电阻接近 3.2kΩ，数值正常，如图 2-1-9 所示。

图 2-1-7　CC 端子电阻测量

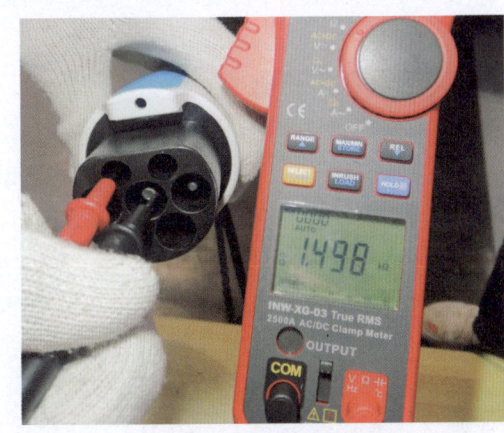

图 2-1-9　CC 端子测量

6）抱着试试看的态度，分解充电枪插头进行检查，发现充电枪按钮由于长时间按压导致无法复位才出现该故障，如图 2-1-8 所示。

7）故障点找到后，正常应更换充电枪，考虑到价格因素，决定从其他损坏的充电枪内部更换开关，更换完以后重新进行测

8）将充电枪重新插入充电口，仪表显示充电信息，正常显示充电连接符号，慢充正常，故障排除，充电界面如图 2-1-10 所示。

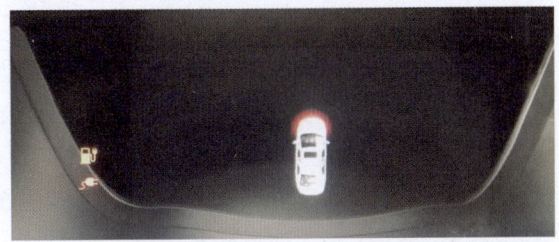

图 2-1-10　仪表充电界面

19

故障案例分析

在交流充电枪上的端子中，CC 为充电连接确认信号，控制模块通过此信号判断充电枪与车辆充电口连接成功，信号电压经充电枪内部电阻搭铁产生信号，充电枪按钮损坏或无法通过 S3 开关搭铁电压不变化，控制模块无法通过该信号确认连接，所以导致和 VCU 无法连接成功，出现不能正常充电故障。

学习小结

1. 车辆充电异常是指电动车正确连接充电枪或充电桩后不能正确对车辆进行充电，车辆充电异常故障可以分为车辆仪表不显示充电、车辆仪表显示充电电流小两种。

2. 车辆不能正常充电的原因主要有五个：车辆外部设备故障、车辆 VCU 故障、动力蓄电池本身故障、通信故障以及相关电路故障。

3. 当车辆充电异常时，首先进行车外检查，主要是外部交流电源、交流充电枪、充电桩的检查，排除外围故障后，再对车辆充电口、相关电路、VCU、BMS 等进行检查。

课外小故事

焊火传薪——王建国的"汽修匠魂长征"

王建国，某省汽车维修行业协会会长，全国劳动模范，全国五一劳动奖章获得者。从事汽车维修工作 30 余年，他从一名普通汽修工人成长为行业技术权威，用坚守与奉献诠释了新时代劳模精神。他带领团队攻克数百项技术难题，培养技术骨干 200 余人，为行业发展做出了突出贡献。

（1）坚守初心，扎根一线　王建国 18 岁进入汽修厂当学徒，凭借刻苦钻研的精神，很快成为技术骨干。20 世纪 90 年代，我国汽车维修技术相对落后，进口车辆故障往往依赖外国专家的诊断与维修。王建国不服输，自学外语、研究国外维修手册，最终掌握高端车型维修技术。一次，某企业一辆进口工程车突发故障，外国专家诊断需更换发动机，费用高达 80 万元。王建国仔细检查后，仅更换了一个传感器，花费不到 2000 元就排除了故障，为企业节省巨额成本。

（2）勇于创新，攻坚克难　随着新能源汽车兴起，王建国带领团队研发"新能源车电池智能检测系统"，大幅提高故障诊断效率。他还编写了《新能源汽车维修标准流程》，填补了行业空白。他说："劳模精神不仅是埋头苦干，更要敢于突破，用创新解决行业难题。"

（3）甘于奉献，传帮带教　作为行业领军人物，王建国坚持"授人以渔"。他创办"劳模创新工作室"，免费培训下岗工人和农村青年，帮助他们掌握技能、实现就业。他的徒弟中，30 余人成为企业技术骨干，5 人获省级技术能手称号。王建国常说："技术是社会的财富，我要把它传给更多人。"

（4）责任担当，服务社会　王建国积极参与公益事业，组织"劳模志愿服务队"，定期为出租车、救护车等提供免费检修。疫情期间，他带领团队连夜为防疫车辆排除故障，确保运输畅通。他说："劳模的荣誉是责任，我要用技术回报社会。"

（5）荣誉与使命　王建国先后荣获"全国劳动模范""全国技术能手"等称号，但他依然保持着工人的本色，每天深入车间指导工作。他说："我的目标很简单——让中国汽车维修技术走向世界，让每一位车主都能享受到高品质的服务。"

从学徒到劳模，王建国用30年的坚守与奋斗，诠释了"爱岗敬业、争创一流、艰苦奋斗、勇于创新、淡泊名利、甘于奉献"的劳模精神。他的故事证明：平凡岗位上的执着追求，同样能书写不平凡的人生华章。

学习单元 2.2　交流充电口异常故障诊断与排除

📋 情境导入

一辆吉利帝豪 EV450 纯电动汽车，客户反映车辆正常上电后，仪表显示正常，充电后，仪表显示充电线连接指示灯点亮、充电指示灯没有点亮，车辆无法充电。经维修技师充电后查看发现，除了客户说的故障现象以外，还发现了充电口上灯光指示不亮，故障诊断仪读取故障码正常。经过维修技师诊断，确认是充电口出现故障，修复后故障现象消失，车辆可以正常充电。

📈 故障原因分析

交流充电口异常故障诊断与排除

仪表显示充电控制系统异常是指在仪表盘上没有正确地将电动车充电的信息显示出来。正常充电情况下，仪表显示充电线连接指示灯、充电指示灯亮。当充电状态显示异常时，不能正常显示充电线连接指示灯、充电指示灯，OBC 系统无故障。一般这类故障并不是由 OBC 故障、VCU 故障、总线故障引起的，而是由于充电枪故障、充电口故障导致的。

由图 2-2-1 可以看出来，充电的信息首先由充电枪经充电口发送到 OBC，然后经过 OBC 的收集处理，将信息通过 PCAN 传递给 VCU，VCU 处理后将信息通过 VCAN 传递给 BCM，BCM 通过 VCAN 将信息传递给仪表进行显示，因此可以看出，如果仪表盘没有正确地将充电信息显示出来，则故障点包含以上信息所传递的环节。

充电异常的故障点分析如图 2-2-2 所示。

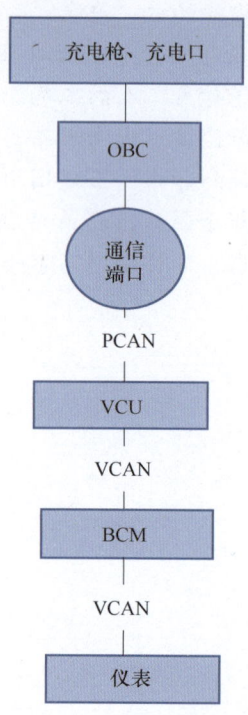

图 2-2-1　充电信息传递

通过充电异常的故障点分析，车辆外部故障主要包括充电桩故障、充电连接故障、充电枪故障、充电口故障，充电枪故障主要有微动开关烧蚀或损坏，CC 线断路，CP 线断路，PE、L、N 线断路等，维修时需对充电枪进一步检查以确定。充电口故障主要有 CC 线断路、CP 线断路、电子锁故障等。CC 线断路时，故障现象：充电线连接指示灯不亮，充电指示灯不亮，此时应检查充电口与 OBC 连接 CC 信号线及相关插接器；CP 线断路时，故障现象：充电指示灯不亮，仪表充电线连接指示灯亮，此时应检查充电口与 OBC 连接 CP 信号线及相关插接器；电子锁故障，主要有电子锁电源线和信号线故障，遇到此类故障，逐一排除即可。充电桩故障、充电连接故障需对充电桩、充电线进一步检查确认。

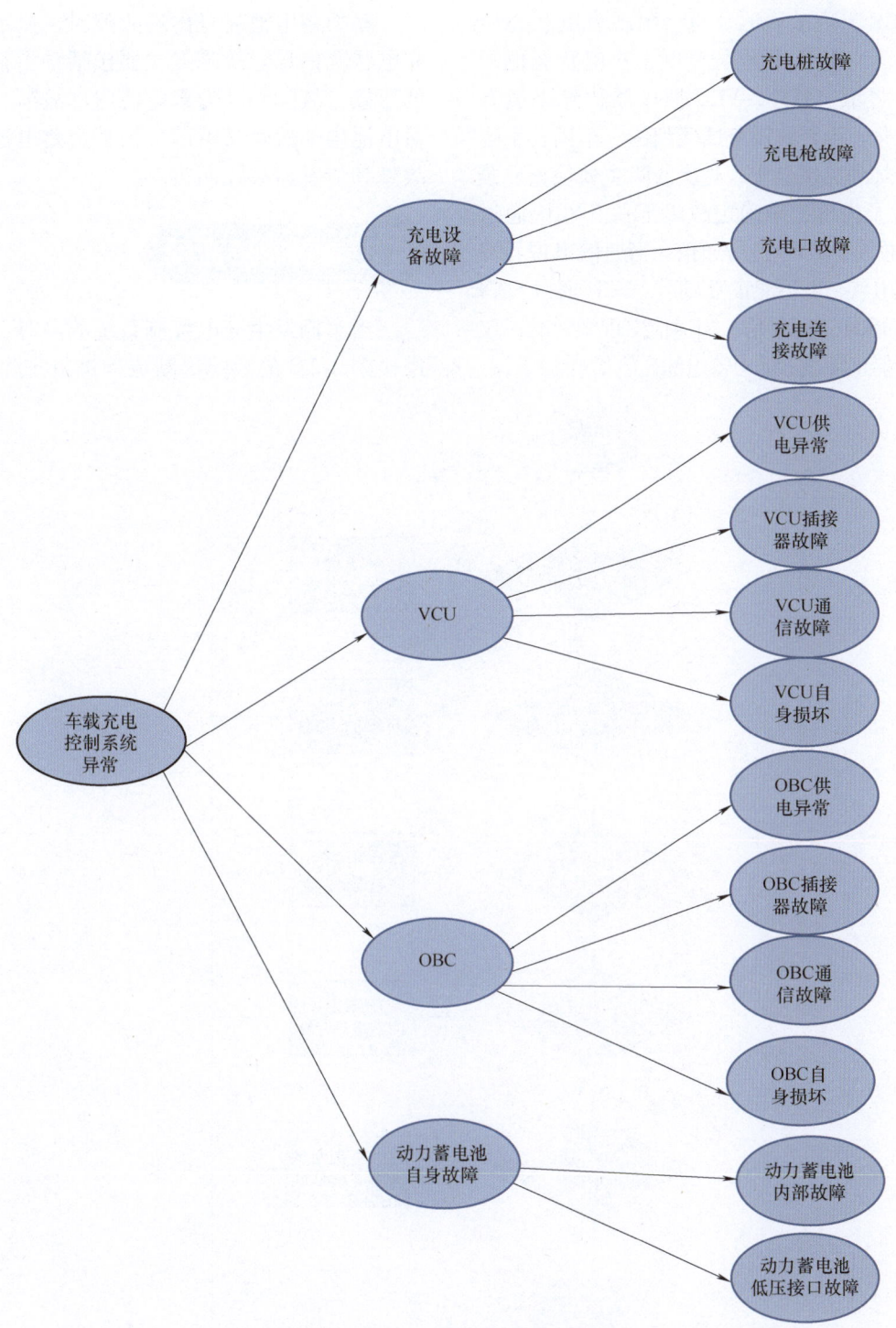

图 2-2-2　充电异常的故障点分析

OBC 的故障主要包含 OBC 供电异常、OBC 插接器故障、OBC 通信故障和 OBC 自身损坏。出现 OBC 故障时，应先检查 OBC 插接器有无松动、损坏，然后从 OBC 电源线及相关熔丝、CAN 线逐一排除，最后考虑 OBC 是否损坏。

VCU 出现故障时，也会出现充电状态显示异常。当 VCU 供电异常时，充电状态也不能正常显示。另外，VCU 插接器故障一般有进水氧化、维修时没有插接到位、车辆发生碰撞时损坏到插接器等，这类故障主要检查插接器外观及内部，来确定故障部位。VCU 通过 PCAN 总线与 BMS 进行通信，当通信出现异常时，充电状态也不能正常显示，VCU 通过 CAN 总线与 BCM 进行通信，当通信出现异常时，仪表也不能正常显示动力蓄电池充电信息。

动力蓄电池自身出现故障时，显示异常充电状况信息。故障点主要包括动力蓄电池低压接口故障和动力蓄电池内部故障。动力蓄电池内部故障又可以分为动力蓄电池本体故障和传感器故障两类。

故障诊断流程

当车辆发生充电控制系统故障时，一般遵循图 2-2-3 的故障诊断流程进行排除。

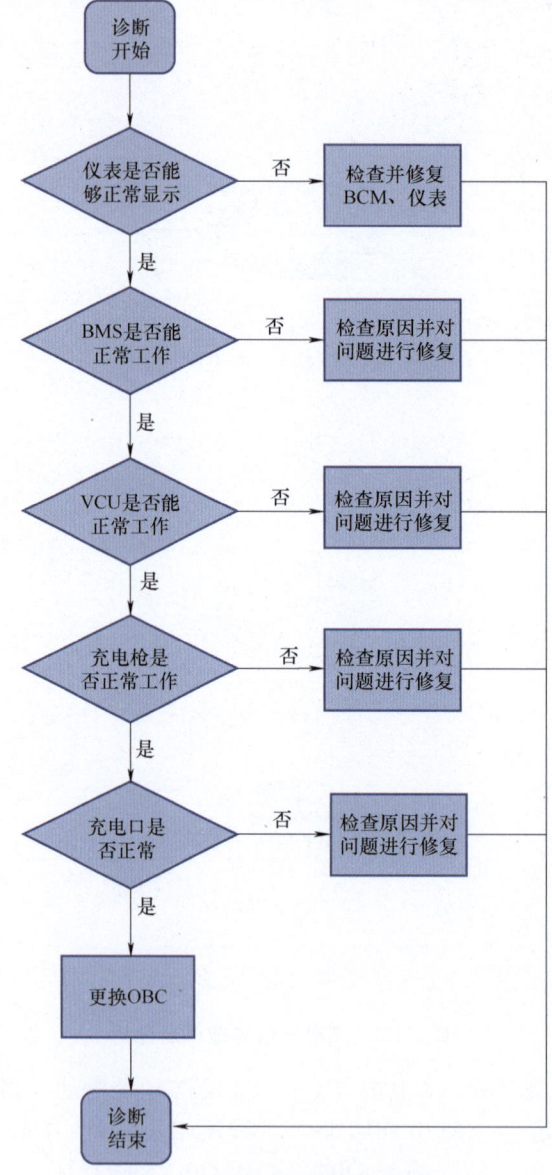

图 2-2-3　充电口异常故障诊断流程

首先要判定仪表是否能正常显示，如果仪表能正常显示，则说明 BCM 没有发生故障且和仪表盘之间通信正常，然后判定是否由于 OBC 和 VCU 供电异常和通信异常导致的故障，如果 OBC 和 VCU 正常，则对充电枪进行检查。

检查充电枪，如果充电枪正常，则检查充电口 CC 线，CP 线，PE 线，L、N 线是否正常，如图 2-2-4 所示。

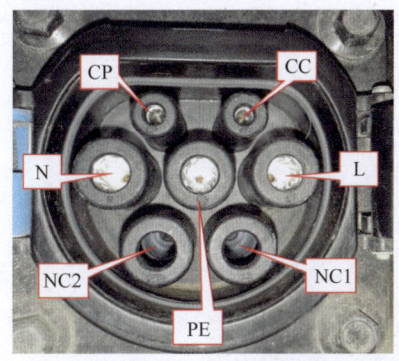

图 2-2-4　充电口端子图

从原理分析得出，正常充电时，CC 和 CP 端与车辆控制装备直接相连，PE 端车身搭铁，N、L 端与 OBC 直接相连；CC 与 PE 端电阻无穷大，CP 与 PE 端电阻为 2.74kΩ。通过检查端子信号状态，可以判断充电口是否正常，如果充电口故障，则需要进行维修。

故障诊断与修复

下面利用上述诊断流程，完成情境导入中仪表充电口异常故障的检测、诊断与修复。

1）根据客户描述的故障现象，检查充电时组合仪表的故障提示，发现充电线连接指示灯点亮，充电指示灯没有点亮，如图 2-2-5 所示。

2）关闭点火开关，将故障诊断仪与车辆 OBD Ⅱ 诊断口连接。

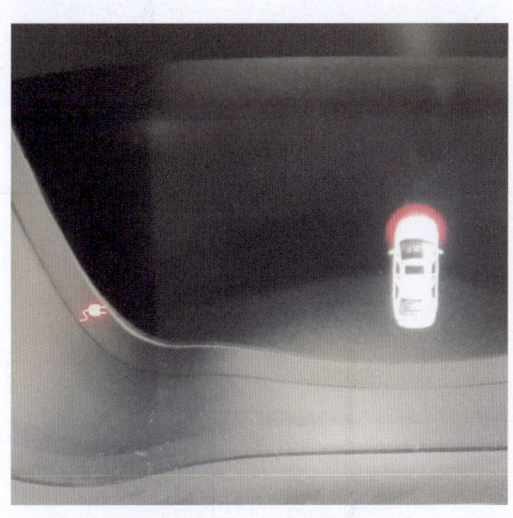

图 2-2-5　充电口故障确认

3）车辆上电，使用故障诊断仪对帝豪 EV450 纯电动汽车进行故障码和数据流的读取，读取后发现无故障码。可以先对充电口 CC 信号和 CP 信号进行检查。

4）查阅吉利帝豪 EV450 纯电动汽车交流充电口电路图，确定故障范围为汽车交流充电口 CC 信号线、CP 信号线、插接器等，根据故障范围找到交流充电口 CC 信号线从 BV24/6 号端子到 BV10/39 号端子，交流充电口 CP 信号线从 BV24/7 号端子到 BV10/

50号端子，如图2-2-6所示。

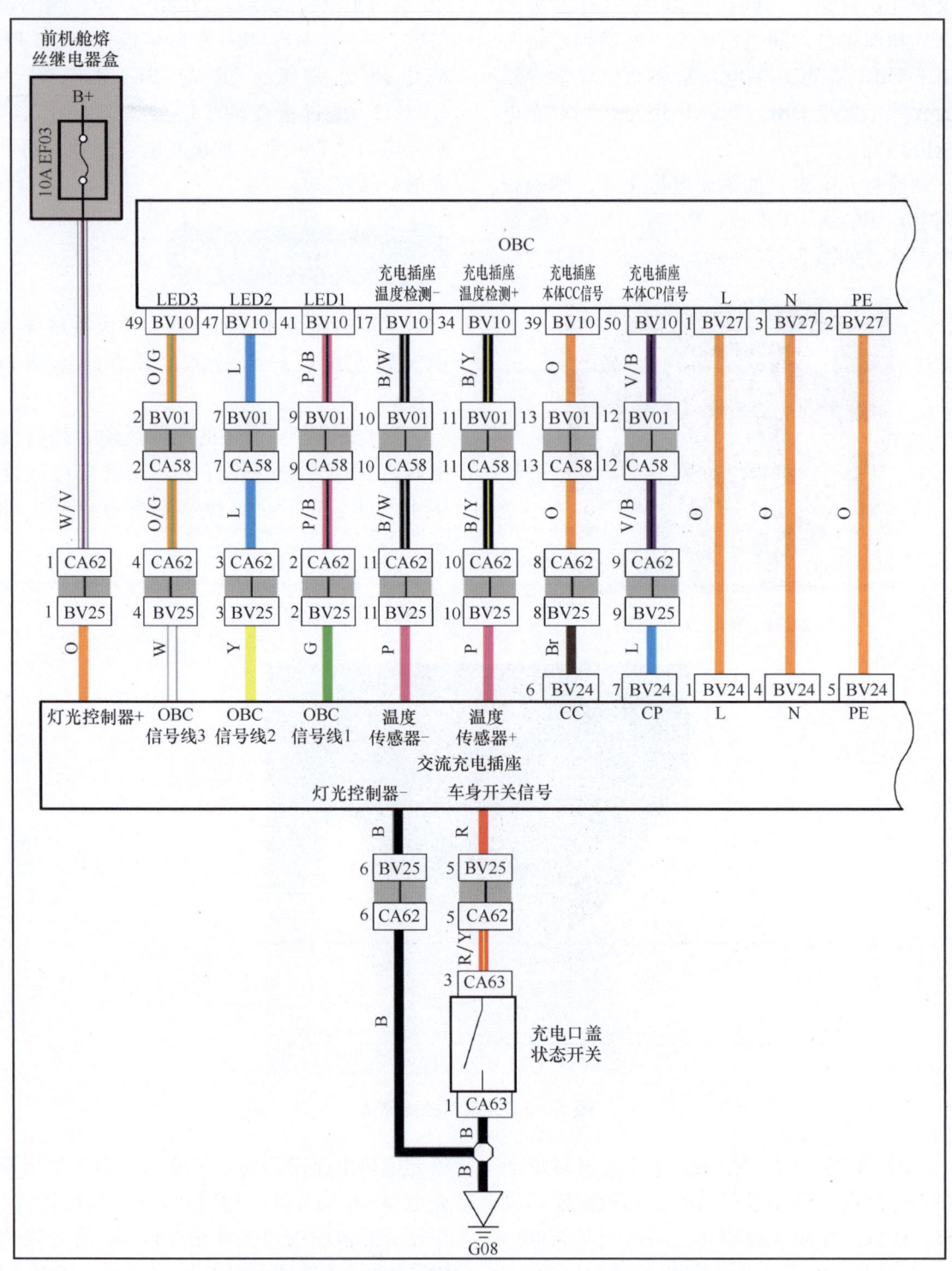

图 2-2-6　吉利帝豪 EV450 纯电动汽车交流充电口电路图

5)断开蓄电池负极,等待 5min,进行基本检查,BV10、BV24 插接器外观及连接情况是否正常,如图 2-2-7 所示。

6)用数字钳形万用表检查充电口 CC 至 BV10/39 号端子,发现充电口 CC 至 BV10/39 阻值小于 1Ω,为正常阻值,如图 2-2-8 所示。

7)用数字钳形万用表检查充电口 CP 至 BV10/50 号端子,发现充电口 CP 至 BV10/50 阻值大于 1Ω,为不正常阻值,确定 CP 信号线断路,如图 2-2-9 所示。

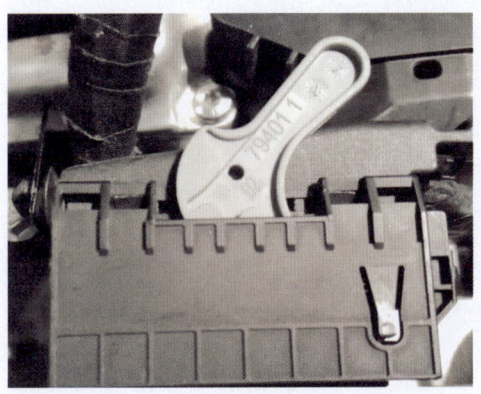

图 2-2-7　BV10、BV24 插接器外观及连接情况基本检查

图 2-2-8　CC 信号线正常

图 2-2-9　CP 信号线故障

8）故障排除，连接 BV10 插接器，连接蓄电池负极。

9）车辆充电正常，仪表显示充电线连接指示灯、充电指示灯，确认故障已排除。

故障案例分析

由吉利帝豪 EV450 纯电动汽车交流充电口电路图（图 2-2-6）可以分析出，交流充电口 CC 信号线从 BV24/6 号端子到 BV10/39 号端子，CP 信号线从 BV24/7 号端子到 BV10/50 号端子，BV24/7 号端子到 BV10/50 号端子断路时，CP 信号无法传到 OBC，因此仪表不能获取 CP 信号并显示。

学习小结

1. 仪表显示充电状态异常时，一般正常显示充电连接信息，不能显示充电指示信息，一般这类故障是充电口或者充电枪 CP 信号线故障等导致的。

2. 充电的信息首先由充电枪通过充电口发送到 OBC，然后通过 OBC 的 PCAN 总线传递给 VCU，再由 VCU 通过 VCAN 总线传递给 BCM，由 BCM 将信息传递给仪表盘进行显示。

3. 交流充电口的故障主要包含 CC 线断路故障、CP 线断路故障、电子锁故障等。

4. VCU 故障、动力蓄电池自身故障、车辆外部设备故障，也可能出现充电显示异常的情况。

课外小故事

毫厘之巅——李志强的汽车微雕革命

李志强，某汽车集团首席技术专家，全国汽车维修行业技术标兵，"中国质量工匠"称号获得者。从业 25 年来，他以近乎苛刻的标准要求自己，在汽车维修领域创造了"零返修"的行业奇迹，用行动诠释了精益求精的工匠精神。

（1）故障诊断要精确到 0.01mm　2018 年，一辆豪华轿车因发动机异响辗转多家汽车 4S 店也未能解决。李志强通过听诊器辨别声音差异，最终发现是曲轴轴承间隙超出标准 0.03mm 导致的。他说："汽车是精密机械，0.01mm 的误差都可能埋下隐患。"为此，他创新"三维测量诊断法"，将故障判断精度提升到行业新高度。

（2）每个维修细节都要完美　李志强制定了"维修作业 108 项标准"，小到螺钉拧紧顺序，大到总成装配流程都有严格规范。他要求维修工具必须按"形迹管理"摆放，作业现场实行"5S 管理"。徒弟们说："跟着李师傅干活，连抹布折叠都要标准统一。"

（3）技术没有最好，只有更好　为解决传统维修中的盲区，李志强自主研发"AR 智能维修辅助系统"，通过增强现实技术实现维修过程可视化。他还建立"典型故障数据库"，收录 3000 多个维修案例，为精准诊断提供支持。

（4）培养追求极致的接班人　在李志强技能大师工作室，每位学员都要通过"蒙眼拆装变速器"的考核。他说："只有形成肌肉记忆，才能在任何情况下都保证维修质量。"近年来，他培养的高级技师在国家级技能大赛中屡获金奖。

(5) 荣誉与追求　虽然获得"国务院特殊津贴专家"等荣誉，李志强仍坚持每天在维修一线工作4h。他说："我的追求很简单——经我维修的车辆，要像新车一样完美。"

从普通技工到行业标杆，李志强用25年的专注与坚持证明：精益求精不是口号，而是每个细节的极致追求。这种精神，正推动着中国汽车维修行业向着"中国智造"的新高度不断迈进。

学习单元2.3 车载充电控制系统故障诊断与排除

情境导入

车载充电控制
系统故障诊断
与排除

一辆吉利帝豪EV450纯电动汽车,客户反映车辆充电后,仪表显示充电线连接指示灯、充电指示灯没有点亮,车辆无法充电。经维修技师充电后查看发现,除了客户说的故障现象以外,还发现了车辆系统故障灯点亮。经过维修技师诊断,确认是车载充电控制系统出现故障,修复后故障现象消失,车辆可以正常充电。

故障原因分析

仪表显示充电控制系统异常是指在仪表盘上没有正确地将电动车充电的信息显示出来。正常充电情况下,仪表充电线连接指示灯、充电指示灯亮。当充电状态显示异常时,不能正常显示充电线连接指示灯、充电指示灯,会显示车辆系统故障灯。一般这类故障并不是由充电枪、充电口故障导致的,而是由于OBC故障、VCU故障、总线故障导致的。

由图2-2-1可以看出来,充电的信息首先由充电枪经过充电口发送到OBC,然后经过OBC的收集处理,将信息通过PCAN传递给VCU,VCU处理后将信息通过VCAN传递给BCM,BCM通过VCAN将信息传递给仪表进行显示,因此可以看出,如果仪表盘没有正确地将充电信息显示出来,则故障点包含以上信息所传递的环节。

充电异常的故障点分析如图2-3-1所示。

通过充电异常的故障点分析,车辆外部故障主要包括充电桩故障、充电连接故障、充电枪故障、充电口故障,充电枪故障主要有微动开关烧蚀或损坏,CC线断路,CP线断路,PE、L、N线断路等,维修时需对充电枪进一步检查以确定。充电口故障主要有CC线断路、CP线断路、电子锁异常等,维修时需对充电口进一步检查以确定。充电桩故障、充电连接故障需对充电桩、充电线进一步检查以确认。

OBC的故障主要包含OBC供电异常、OBC插接器故障、OBC通信故障和OBC自身损坏。OBC供电异常往往是由于OBC供电电路故障导致的,例如供电电路断路、短路,熔丝熔断等,当出现这类故障时,需要对OBC供电电路进行进一步的检查,以确定故障点位置。OBC插接器故障有进水氧化、维修时没有插接到位、车辆发生碰撞时损坏到插接器等,这类故障主要检查插接器外观及内部来确定故障部位。OBC通信故障主要是OBC与VCU通信及VCU与BCM的通信,一般的通信故障主要检查CAN线是否异常。OBC自身损坏一般是由外部原因导致的OBC内部元器件损坏、内部电路故障等,该类故障一般不好进行判断,一种办法是,如果对其他故障进行排除后,仍不能解决故障,则可认为是OBC损坏,另一种办法是,直接拿一个好的BMS换上,故障排除就可以确定是OBC损坏故障。

VCU出现故障时,也会出现充电状态显示异常。当VCU供电异常时,充电状态也不能正常显示。另外,VCU插接器故障一般有进水氧化、维修时没有插接到位、车辆发生碰撞时损坏到插接器等,这类故障主要检查插接器外观及内部来确定故障部位。VCU通过PCAN总线与BMS进行通信,当通信出现异常时,充电状态也不能正常显示,VCU通过CAN总线与BCM通信,当通信出现异常时,仪表也不能正常显示动力蓄电池充电信息。

动力蓄电池自身出现故障时，显示异常充电状况信息。故障点主要包括动力蓄电池低压接口故障和动力蓄电池内部故障。动力蓄电池内部故障又可以分为动力蓄电池本体故障和传感器故障两类。

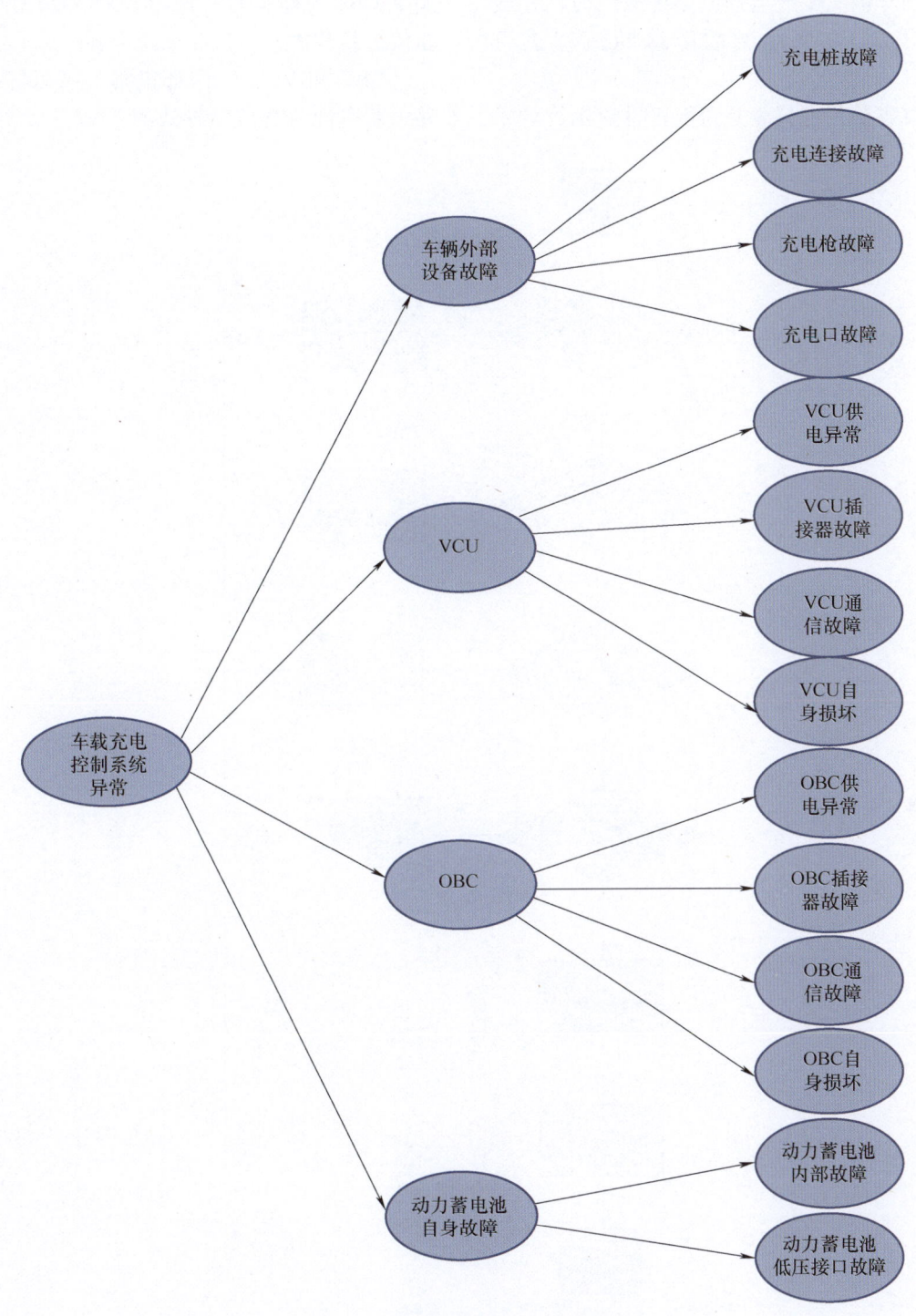

图 2-3-1　充电异常的故障点分析

故障诊断流程

当车辆发生充电控制系统故障时，一般遵循图 2-3-2 所示的故障诊断流程进行排除。

首先要判定仪表是否能正常显示，如果仪表能正常显示，则说明 BCM 没有发生故障且和仪表盘之间通信正常，然后判定是否由于 OBC 供电异常和通信异常导致的故障，如果 OBC 工作正常，则可以对 VCU 供电和通信进行检查。

OBC 和 VCU 工作都正常，可以怀疑是动力蓄电池自身故障导致的。

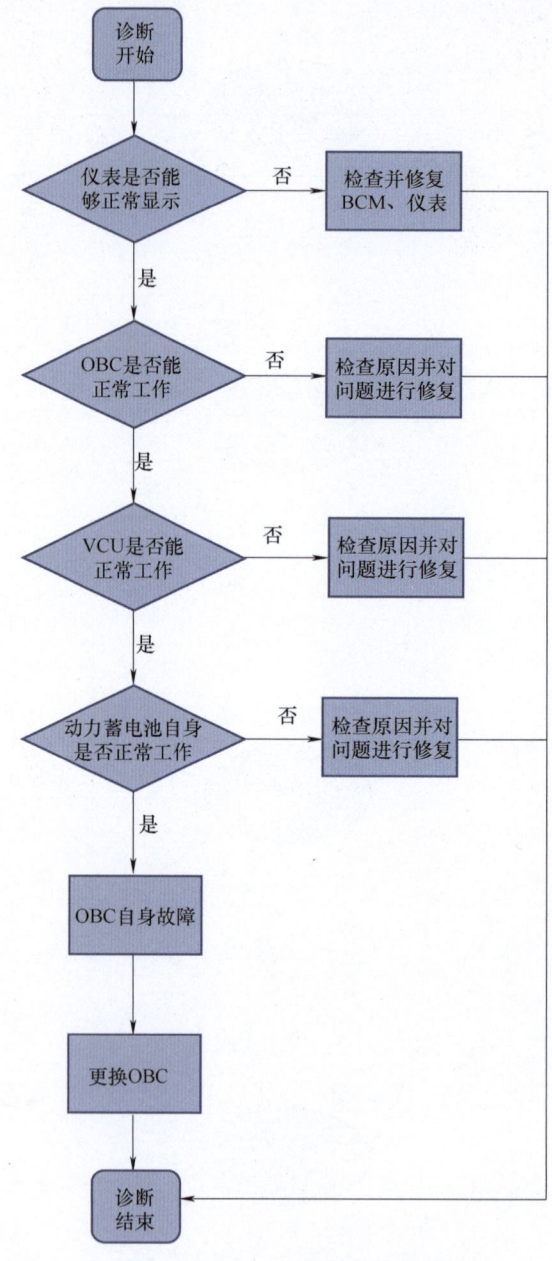

图 2-3-2　充电控制系统故障诊断流程

故障诊断与修复

下面利用上述诊断流程,完成情境导入中充电控制系统故障的检测、诊断与修复。

1)根据客户描述的故障现象,检查充电时组合仪表的故障提示,发现充电线连接指示灯、充电指示灯没有点亮,系统故障警告灯点亮,如图 2-3-3 所示。

图 2-3-3　充电控制系统故障确认

2)关闭点火开关,将故障诊断仪与车辆 OBD Ⅱ 诊断口连接。

3)车辆上电,使用故障诊断仪对帝豪 EV450 纯电动汽车进行故障码和数据流的读取,读取后发现故障诊断仪不能进入 OBC 系统。OBC 系统无法进入,更换 VCU 系统进行读取故障码和数据流,读取故障码为 U111587 与 OBC 失去通信,如图 2-3-4 所示。通过仪表显示的信息和故障诊断仪所读取的信息,初步判断为 OBC 系统可能出现故障,故障部位可能是 OBC 系统的供电和通信,由简入难的故障诊断思路,可以先对 OBC 系统的供电进行检查。

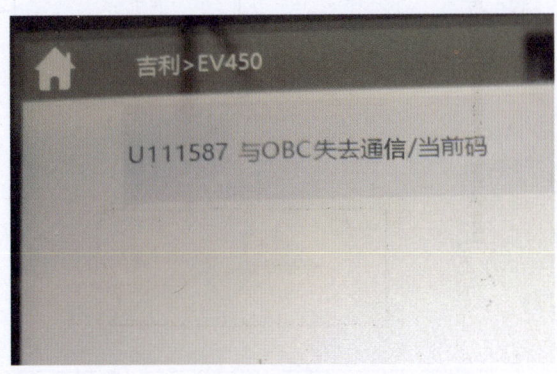

图 2-3-4　故障诊断仪读取 VCU 故障

4)查阅吉利帝豪 EV450 纯电动汽车 OBC 电路图,确定故障范围为 OBC 自身及其相关电路、熔丝、继电器、插接器等,根据故障范围找到 OBC 系统供电熔丝为 EF27,供电电路为 B+ 至 BV10/4 号针脚,如图 2-3-5 所示。

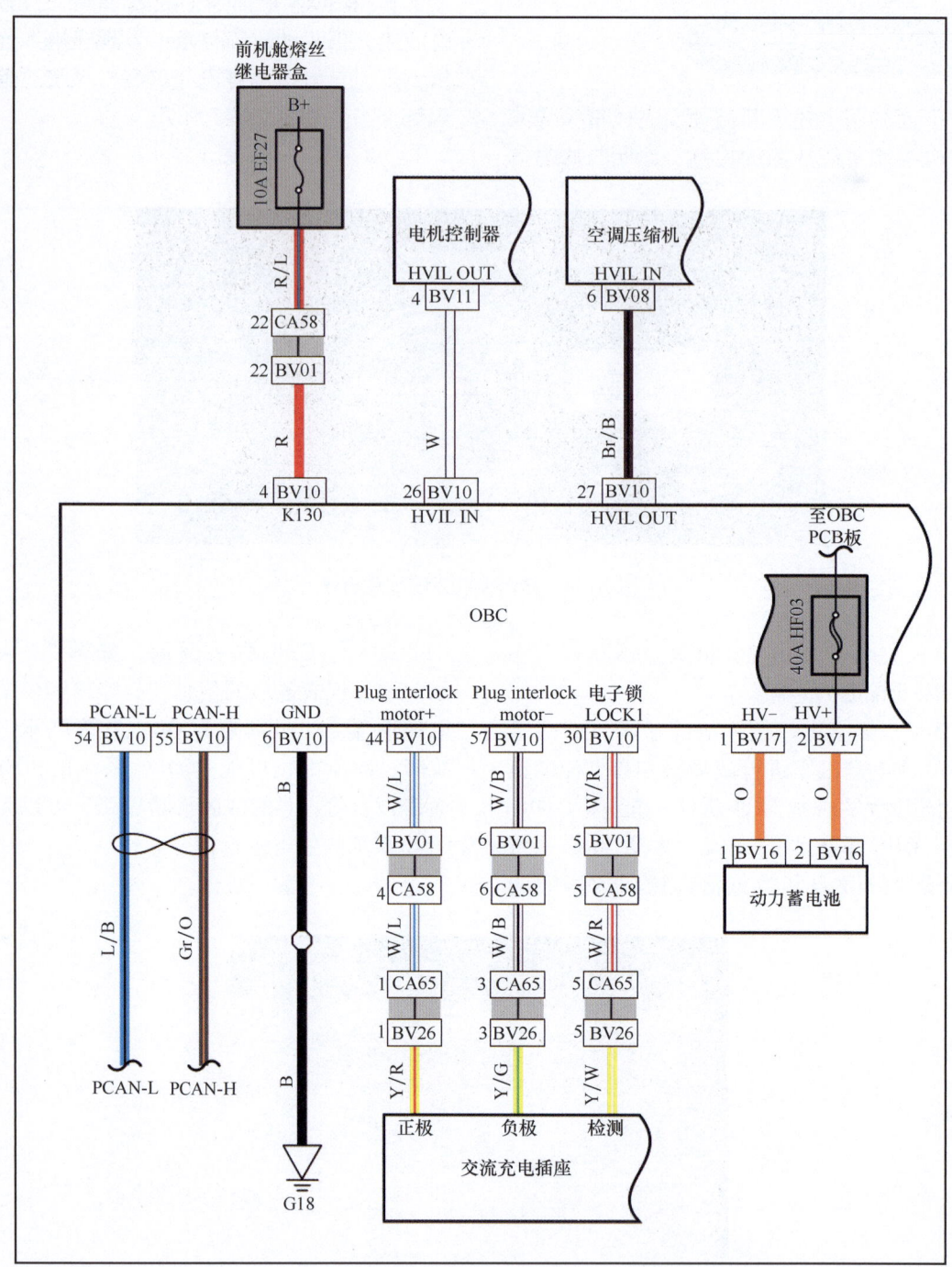

图 2-3-5　吉利帝豪 EV450 纯电动汽车 OBC 系统电路图

5）断开蓄电池负极，等待 5min，进行基本检查，BV10 插接器外观及连接情况是否正常，如图 2-3-5 所示。

6）检查 EF27 熔丝，目测熔丝正常，再用数字钳形万用表检查，发现熔丝两侧端子的电阻为 0Ω，确定 EF27 熔丝正常，如

图 2-3-6 所示。

7）用数字钳形万用表检查供电电路为 B+ 至 BV10/4 号端子，发现 B+ 至 BV10/4 的阻值小于 1Ω，为正常阻值，如图 2-3-7 所示。

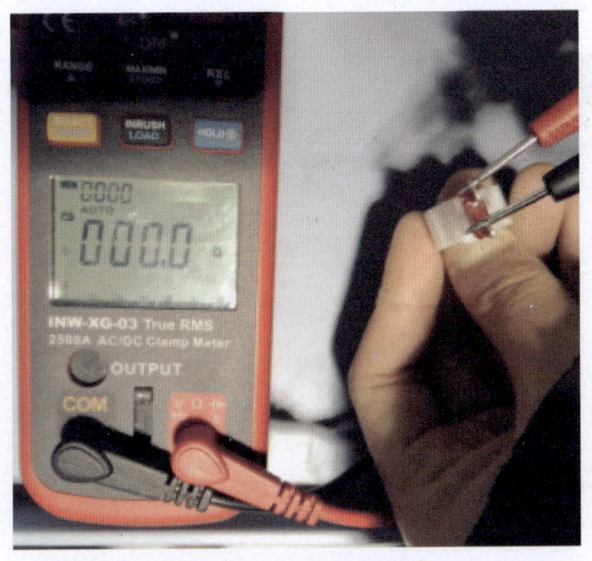

图 2-3-6　EF27 熔丝正常

图 2-3-7　B+ 至 BV10/4 的电阻检查

8）检查 CAN-H 与 CAN-L 的阻值是 60Ω，检查 CAN-H 与 BV10/55 的电阻小于 1Ω，CAN-L 与 BV10/54 的电阻 3500Ω，为不正常阻值，确定 CAN-L 与 BV10/54 断路，如图 2-3-8 所示。

9）故障排除，连接 BV10 插接器，连接蓄电池负极。

10）车辆充电，使用故障诊断仪对帝豪 EV450 纯电动汽车进行故障码和数据流的读取，OBC 系统显示无故障码，确认故障已排除。

故障案例分析

由吉利帝豪 EV450 纯电动汽车 OBC 系统电路图（图 2-3-5）可以分析出，OBC 通过 CAN 线与 VCU 通信，OBC 通过 BV10/55 与 CAN-H 相接，BV10/54 与 CAN-L 相接，当 BV10/54 与 CAN-L 电路断路时，OBC 与 VCU 无法通信，因此仪表不能正确地获取充电控制系统信息并显示。

图 2-3-8　CAN-L 与 BV10/54 断路

学习小结

1. 仪表显示充电状态异常时，一般不能正常显示充电连接、充电指示信息，一般这类故障是由于 OBC 的电源线及相关熔丝、CAN 线故障等导致的。

2. 充电的信息首先由充电枪通过充电口发送到 OBC，然后通过 OBC 的 PCAN 总线传递给 VCU，再由 VCU 通过 VCAN 总线传递给 BCM，由 BCM 将信息传递给仪表盘进行显示。

3. OBC 的故障主要包含 OBC 供电异常、OBC 自身损坏、OBC 通信故障、OBC 插接器故障。

4. VCU 故障、动力蓄电池自身故障、车辆外部设备故障，也可能出现充电显示异常的情况。

课外小故事

齿轮突围——国产变速器的冰与火

2010 年前，中国汽车行业自动变速器市场被外资品牌垄断，核心零部件进口率高达 95%。某国产汽车品牌组建研发团队，立志攻克 8AT 自动变速器技术难关。

（1）设计验证　面对 3000 多个精密零件的协同设计，团队连续 18 个月进行数字仿真。首席工程师王建军带领团队建立"24h 接力工作制"，累计完成 20 万次模拟测试，最终突破行星齿轮组布局难题。

(2) 材料工艺突围　变速器核心部件需要特殊合金钢，国外供应商拒绝提供。材料专家李芳带领小组走访36家钢厂，经过417次试验，成功研发"梯度热处理工艺"，使齿轮使用寿命达到国际标准。

(3) 制造精度攻关　在零件加工阶段，团队遭遇0.005毫米级加工精度的瓶颈。技术工人张卫国改造老旧机床，发明"微米级补偿加工法"，用国产设备实现了进口生产线才能达到的精度。

(4) 台架试验突破　2018年寒冬，在-30℃的黑河试验场，团队连续工作36天。为解决低温启动难题，工程师们开发出"双油路预热系统"，使变速器在极寒环境下仍能平稳工作。

(5) 产业化落地　2020年，首批量产的8AT变速器装车测试。团队建立"质量门"管控体系，关键工序合格率从78%提升至99.9%，最终产品达到国际领先水平。

(6) 技术突破成果

1) 累计申请专利163项。

2) 打破国外技术垄断。

3) 使国产变速器成本降低40%。

4) 带动上下游产业链升级。

这支平均年龄35岁的团队，用8年的时间走完了国外30年的技术道路。他们的故事证明：在关键核心技术领域，中国汽车人完全有能力突破封锁，实现从跟跑到领跑的跨越。正如团队负责人所说："没有攻不破的堡垒，只有不够坚定的信念。"

学习情境 3

电机驱动系统故障诊断与排除

学习目标

- 能根据车辆仪表的显示和故障诊断仪检测的故障码，分析故障原因。
- 能制订旋变传感器的故障诊断流程。
- 能根据制订的诊断流程对旋变传感器进行故障诊断。
- 能制订功率限制指示灯点亮诊断流程。
- 能根据制订的诊断流程对功率限制指示灯点亮故障进行故障诊断。
- 能制订电机控制器（PEU）诊断流程。
- 能根据制订的诊断流程对电机控制器进行故障诊断。
- 能根据诊断结果判定故障点，并对故障点进行维修或更换故障元器件。

学习单元 3.1　驱动电机转动异常故障诊断与排除

情境导入

一辆吉利帝豪 EV450 纯电动汽车，客户反映启动车辆后，挂档踩加速踏板汽车无法行驶。根据客户描述的故障现象，维修顾问将车辆交给维修技师，经维修技师上电查看发现，READY 指示灯正常点亮，把车辆举起，挂档踩下加速踏板，仪表会显示故障提醒警告灯，电机有转动的声音，但是与正常转动声音有所区别。经过维修技师诊断，确认旋变传感器正弦信号线正信号线断路，维修正弦信号线正信号线后故障消失，车辆可以正常行驶。

故障原因分析

吉利帝豪 EV450 纯电动汽车旋变传感器安装在驱动电机上，主要作用是检测驱动电机的转子位置信号，并把该信号转变为电信号传递给控制器进行解码获得转子转速，驱动电机旋变传感器共有 6 根线束，其中 2 根正弦信号线、2 根余弦信号线、2 根励磁信号线，当旋变传感器中的正弦信号线、余弦信号线、励磁信号线其中的某一根信号线发生故障时，车辆可以正常上高压电，但是挂档踩下加速踏板时旋变传感器会发送给电机控制器一个错误的信号,这时电机控制器无法准确地接收到驱动电机的相关信息,电机控制器无法准确地控制驱动电机旋转,电机控制器会将它遇到的问题发送给 VCU,VCU 会将故障提示发送到仪表,仪表会显示故障提醒警告灯。旋变传感器与电机控制器的连接电路图如图 3-1-1 和图 3-1-2 所示。

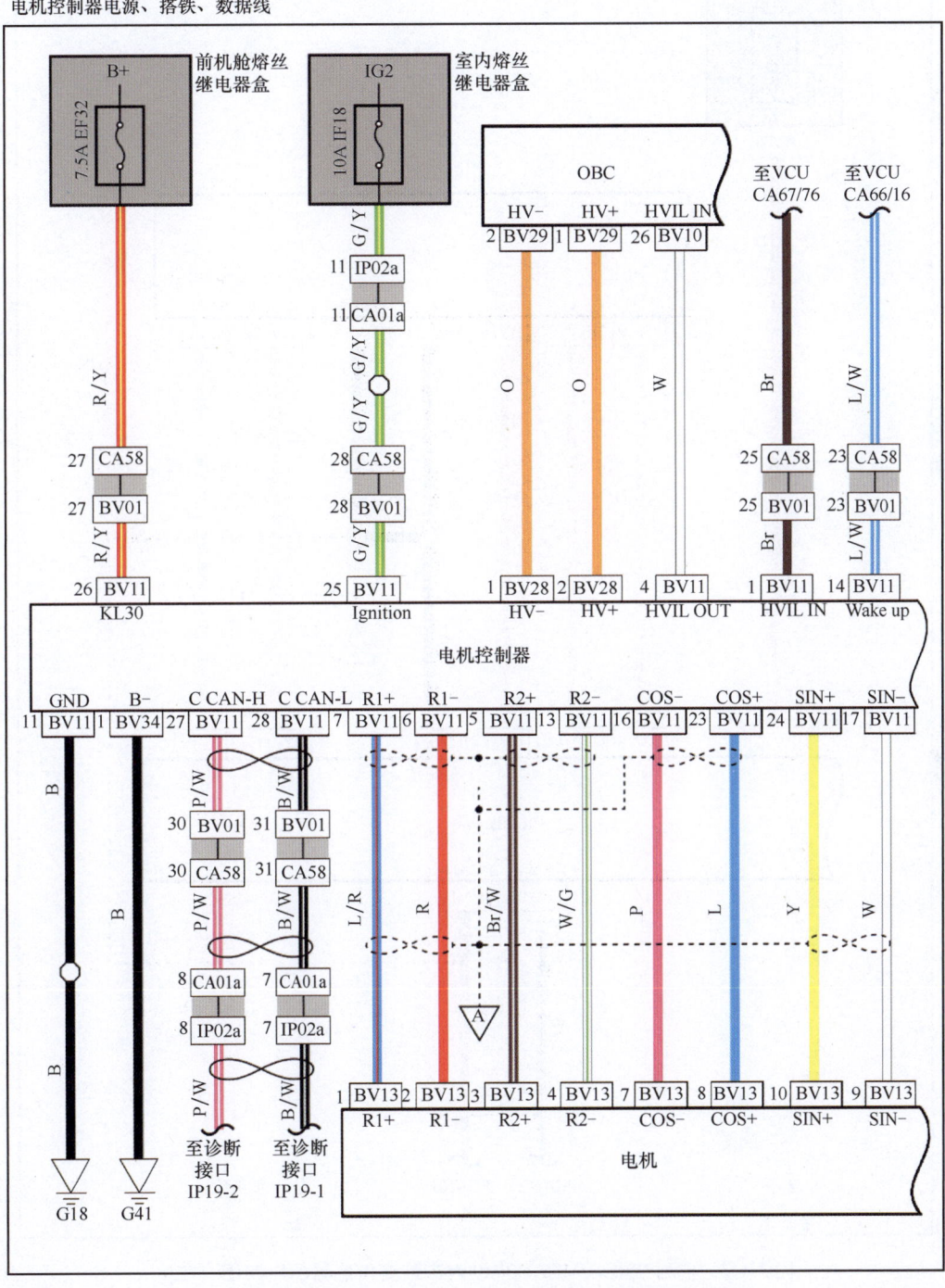

图 3-1-1　吉利帝豪 EV450 纯电动汽车旋变传感器的电路图（一）

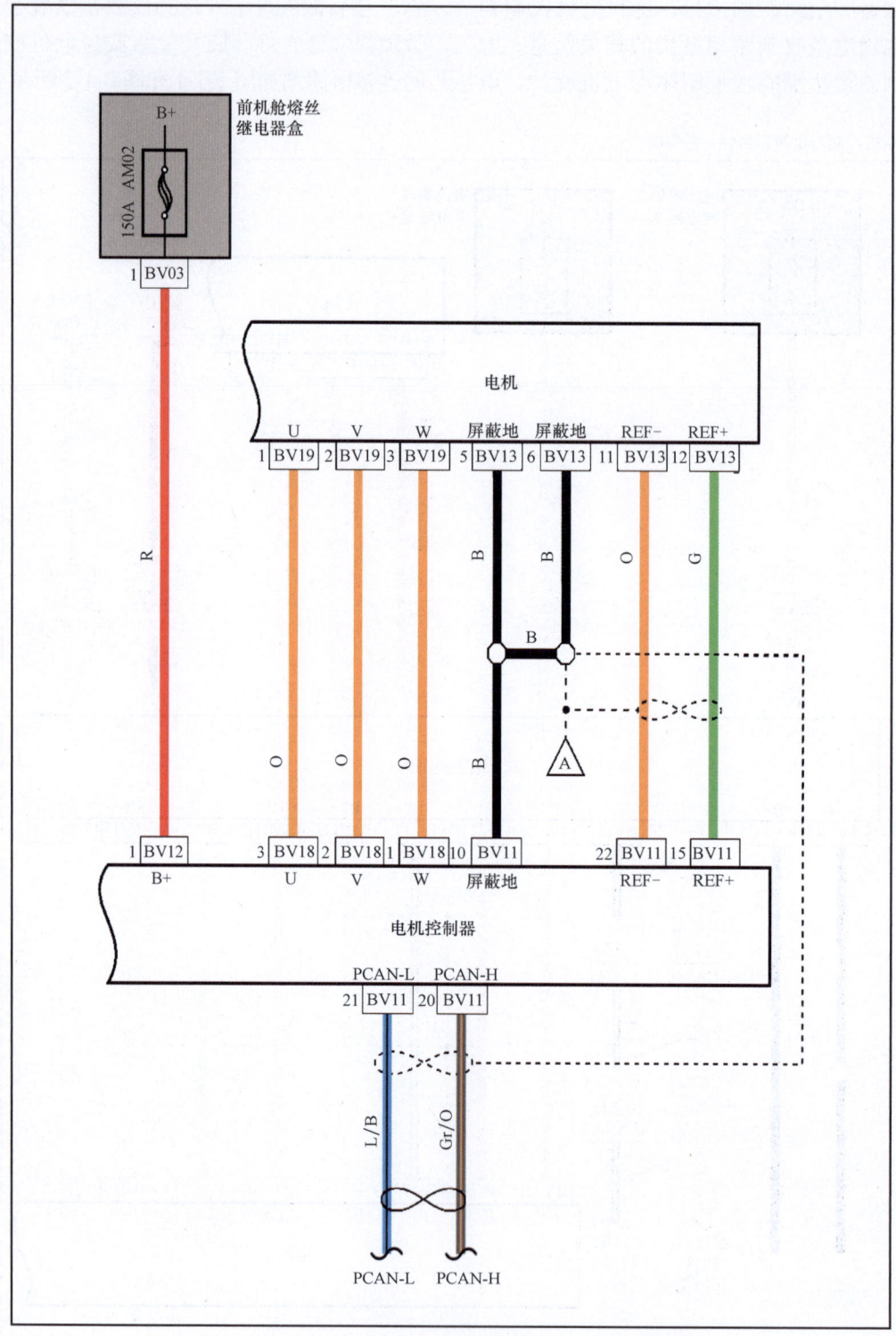

图 3-1-2 吉利帝豪 EV450 纯电动汽车旋变传感器的电路图（二）

旋变传感器上的正弦信号线、余弦信号线、励磁信号线的故障现象是相似的，发生这类故障后，正弦信号线、余弦信号线、励磁信号线需要进行全部的检测。检测过程中除了常规的检测外，还要使用示波器对正弦信号线、余弦信号线、励磁信号线的波形进行检查。

导致驱动电机转动异常的故障主要有旋变传感器电路故障、旋变传感器本身故障、旋变传感器插接器故障、电机本身的故障、电机控制器故障等，如图 3-1-3 所示。

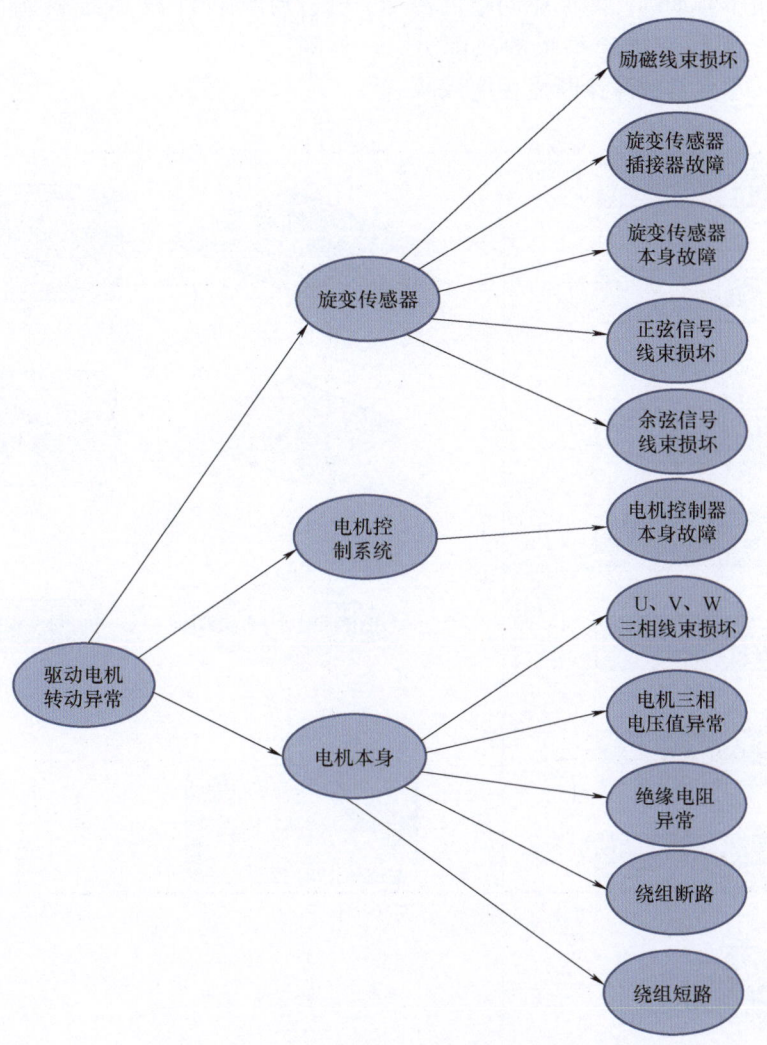

图 3-1-3 驱动电机转动异常的故障点分析

电机本身发生故障时是不能检测的，只有在外部进行检查，通过检查结果判断电机本身是否出现故障，主要进行以下方面的检查：检查电机三相高压线束是否正常；检查 U、V、W 三相线束电压值是否正常；检测电机绝缘电阻、绕组短路、绕组断路。最终根据检查结果判定驱动电机是否出现故障，驱动电机本身出现故障一般需要更换整个驱动电机。

故障诊断流程

当吉利帝豪 EV450 纯电动汽车发生驱动电机转动异常故障时,故障是通过上电挂档踩下加速踏板出现的,加速踏板出现故障时,驱动电机是不转动的,所以驱动电机转动异常故障分析里没有加速踏板的故障分析,驱动电机转动异常故障诊断流程应该从旋变传感器、电机本身、电机控制器三方面进行故障分析,一般遵循图 3-1-4 所示的故障诊断流程进行故障诊断排除。

根据客户的描述现场的故障再现,初步分析故障位置,使用故障诊断仪检查故障码和数据流,分析、判断故障位置,通过分析、判断制订故障维修流程,进行故障检测。

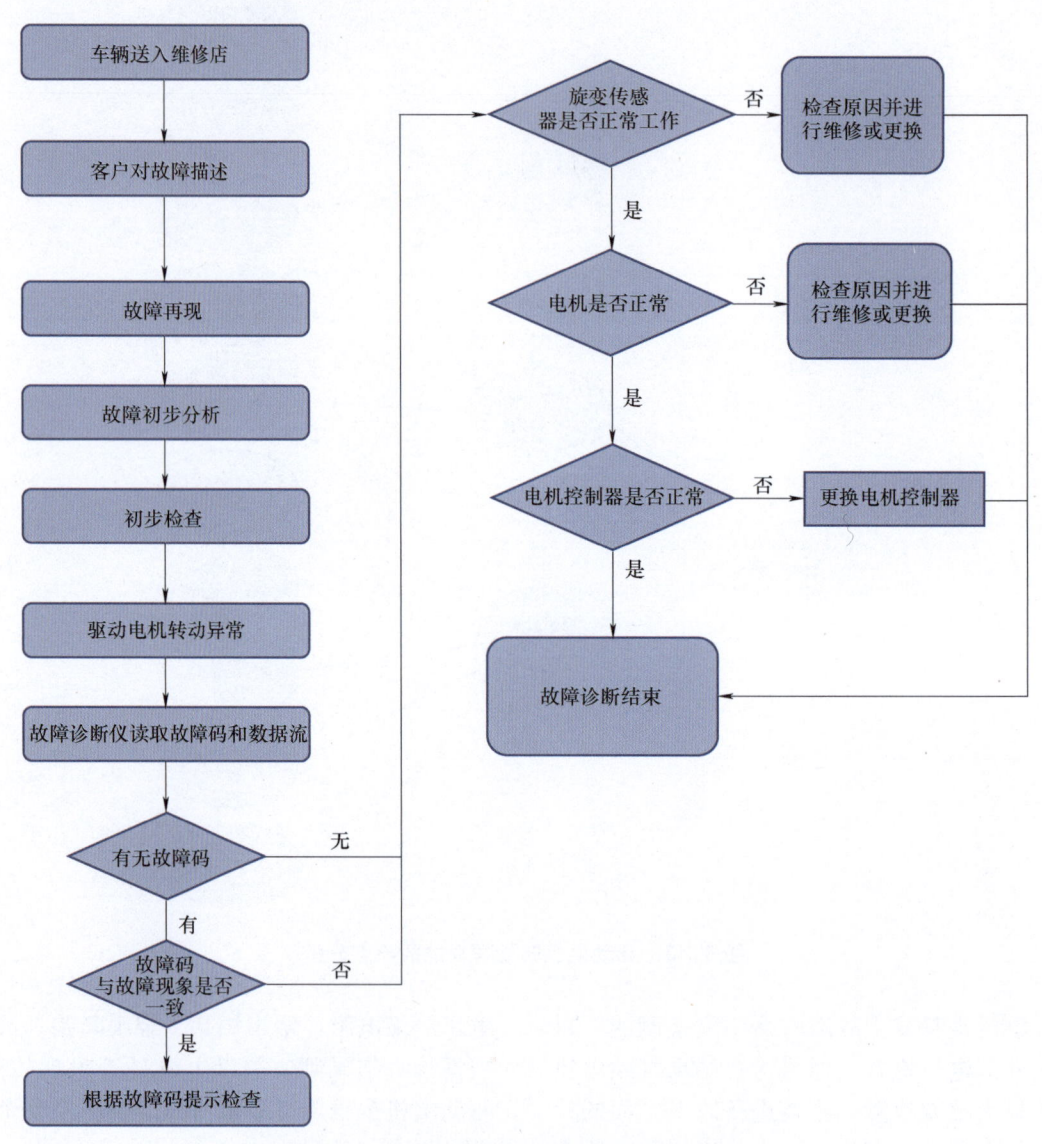

图 3-1-4 驱动电机转动异常故障诊断流程

故障诊断与修复

下面利用上述诊断流程，完成情境导入中驱动电机转动异常的故障检测、诊断与修复。

1）根据客户描述的故障现象，检查组合仪表的故障提示，READY 指示灯正常点亮，上电挂档踩下加速踏板，驱动电机转动异常，故障提醒警告灯点亮，如图 3-1-5 所示。

图 3-1-5　驱动电机转动异常故障确认

2）关闭点火开关，将故障诊断仪与车辆 OBD Ⅱ 诊断口连接。

3）车辆上电，使用故障诊断仪对帝豪 EV450 纯电动汽车进行故障码和数据流的读取，读取 PEU 电机控制系统故障码，显示无故障码，如图 3-1-6 所示，更换 VCU 系统进行读取故障码和数据流，如图 3-1-7 所示。

4）根据故障码和数据流，查阅吉利帝豪 EV450 纯电动汽车旋变传感器电路图，确定的故障范围是旋变传感器本身及其相关电路、电机控制器等，如图 3-1-1 和图 3-1-2 所示。

5）断开蓄电池负极，等待 5min，进行基本检查，BV11 插接器及 BV13 插接器外观及连接情况是否正常，如图 3-1-8 所示。

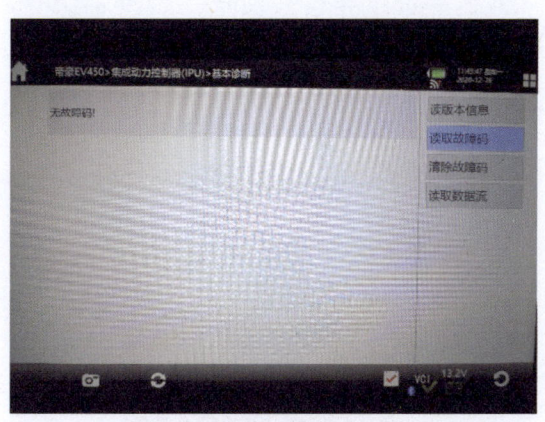

图 3-1-6　故障诊断仪读取 PEU 电机控制系统故障码

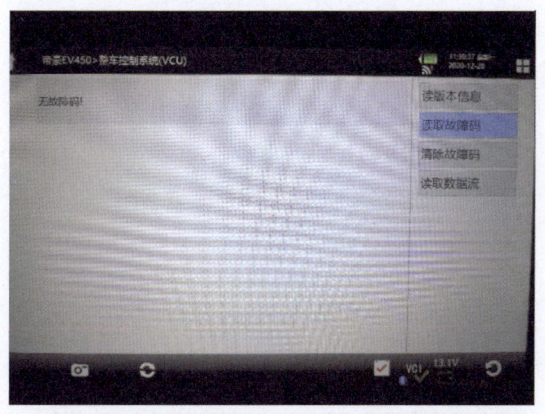

图 3-1-7　故障诊断仪读取 VCU 故障码

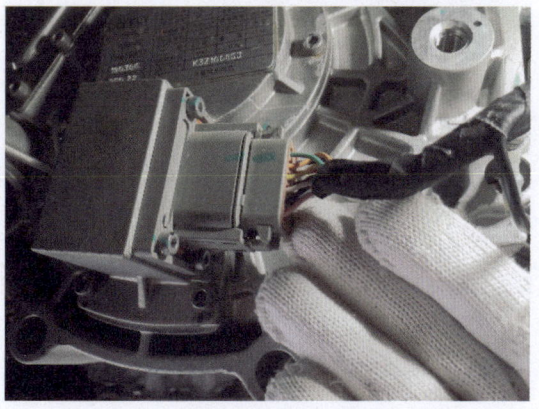

图 3-1-8　插接器外观及连接情况检查

6）检测发现正弦信号线束故障，使用

示波器测试正弦信号波形,如图 3-1-9 所示,波形异常,根据波形结果判断,可能是旋变传感器正弦信号线束出现故障。

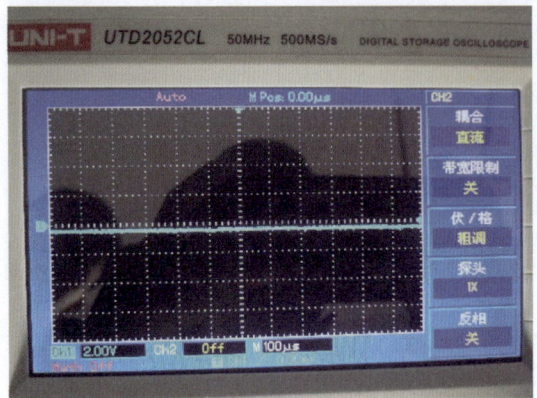

图 3-1-9　正弦信号波形

7)检查电机控制器 BV11 与旋变传感器 BV13 之间的正弦线束,使用万用表电阻档,检查 BV11/23 至 BV13/8 之间的电阻,电阻正常。再次用万用表电阻档,检查 BV11/16 至 BV13/7 之间的电阻,标准值小于 1Ω,实测值为 89.3kΩ,阻值异常,如图 3-1-10 所示。旋变传感器正弦信号线束负信号线束断路,需要进行维修。

图 3-1-10　BV11/16 至 BV13/7
之间的电阻检查

8)维修 BV11/16 至 BV13/7 之间的线束,使用万用表检测 BV11/16 至 BV13/7 之间的电阻,标准值小于 1Ω,实测值为 0.1Ω,如图 3-1-11 所示,再次使用示波器检测正弦信号波形正常,故障修复,如图 3-1-12 所示。

图 3-1-11　维修后 BV11/16 至
BV13/7 之间的电阻检测

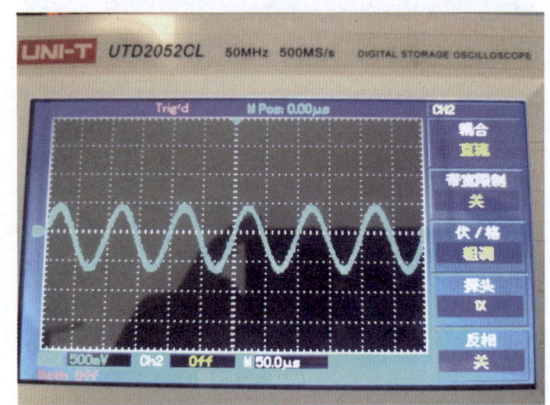

图 3-1-12　正弦信号波形正常

9)连接 BV11、BV13 插接器,连接蓄电池负极。

10)车辆上电,使用故障诊断仪对帝豪 EV450 纯电动汽车进行故障码和数据流的读取,电机控制系统显示无故障码,踩下加速踏板,检查仪表无故障指示灯点亮,车辆可以正常行驶,确认故障已排除。

故障案例分析

吉利帝豪 EV450 纯电动汽车驱动电机

转动异常的故障主要是电机控制器、电机本身、旋变传感器故障等，在驱动电机转动异常的故障分析里，旋变传感器是首要检查的对象，旋变传感器将信号传递给电机控制器，电机控制器将信号处理使用，同时也要把信号传递给 VCU 系统。

⚠ 学习小结

1. 旋变传感器共有六根线束，分别是两根正弦信号线、两根余弦信号线、两根励磁信号线，其中任何一根信号线发生故障，都会影响驱动电机的正常运转。

2. 旋变传感器将信号传递给电机控制器，电机控制器将信号处理使用，同时也要把信号传递给 VCU 系统。

3. 排除故障时一定要确定到最小范围，否则故障点是无法获取到的，故障点确定不了，就无法对故障进行有效的维修或更换。

4. 导致驱动电机转动异常的故障主要有电机控制器、电机本身、旋变传感器故障，当旋变传感器发生故障，故障现象与加速踏板故障现象很像，但是踩下加速踏板后，会听到电机转动的声音，而加速踏板踩下后驱动电机没有任何反应。

🔎 课外小故事

东方智造——红旗品牌文明基因解码与产业突围

（1）文化觉醒：从"中国制造"到"中国创造" 2018 年，红旗品牌启动"新红旗战略"，设计师团队深入故宫、敦煌等地采风，将"高山飞瀑"前格栅、"北斗之翼"日行灯等东方美学元素融入车型设计。

（2）技术自信：自主研发的底气 面对"国产发动机不行"的质疑，红旗研发团队用 3 年时间攻克 V 型 8 缸直喷增压发动机技术。总工程师李国强说："我们梳理了从《考工记》到《天工开物》的古代工艺智慧，结合现代技术，最终让'中国芯'达到国际领先水平。"

（3）品牌焕新：让世界看见中国豪华 在 2022 年北京冬奥会上，红旗 L5 作为元首接待用车，其内饰采用景泰蓝、福建大漆等非遗工艺。外媒评价："这是西方豪车无法复制的文化底蕴。"同年，红旗在迪拜开设旗舰店，首次以"东方豪华"定位进军国际市场。

（4）用户认同：文化共鸣创造价值 红旗 H9 上市时，一支《华夏乐章》广告片刷屏网络。片中二胡与钢琴合奏，传统建筑与现代都市交相辉映，引发年轻消费者对"新中式豪华"的热议。数据显示，红旗车主中 35 岁以下群体占比从 2017 年的 12%提升至 2022 年的 43%。

（5）产业链赋能：构建文化生态圈 红旗与故宫文创联合开发车载香氛、丝巾等衍生品，并设立"红旗工匠奖学金"，培养既懂汽车技术又通晓传统文化的复合型人才。经销商王经理说："现在向客户介绍产品时，我们更愿意讲述背后的文化故事。"

从一度濒临停产到年销 30 万辆，红旗品牌的复兴之路证明：文化自信不是简单的符号堆砌，而是将五千年文明积淀转化为现代产品力的系统工程。正如红旗掌门人徐留平所言："当我们的汽车能自信地展现东方智慧时，就是真正从汽车大国迈向汽车强国之时。"

学习单元 3.2　功率限制指示灯点亮故障诊断与排除

情境导入

功率限制指示灯点亮故障诊断与排除

一辆吉利帝豪 EV450 纯电动汽车，客户反映启动车辆后，车辆行驶中制动踏板踩下去比较费力，车速仪表最高到 30km/h。经维修技师上电查看发现，READY 指示灯正常点亮，行驶时加速踏板踩到底车速最高到 30km/h，仪表功率限制指示灯点亮，没有听到电动真空泵工作的声音。经过维修技师诊断，确认是电动真空泵 EF05 熔丝熔断，更换 EF05 熔丝故障现象消失，车辆可以正常行驶。

故障原因分析

仪表盘上的功率限制指示灯点亮，一般有两种情况，一种是电机温度太高，需停车并使电机降温；另一种是电动真空泵出现故障，制动无助力。

电动真空泵电路图如图 3-2-1 所示，真空压力传感器检测真空罐里的压力，将信号传给电子稳定控制系统（ESC），ESC 接收到真空压力传感器信号，控制电动真空泵工作，真空罐里压力是有一定范围的，小于范围的最小值电动真空泵开始工作，大于范围的最大值电动真空泵停止工作。电动真空泵出现故障时，真空压力传感器检测到错误的压力，将错误的信号传递给 ESC，ESC 认为电动真空泵出现故障，将信号传递给 BCM，BCM 再将信号传递给仪表，仪表会显示限制功率指示灯。

电动真空泵出现故障，制动系统没有助力，只是靠人给的力量制动，车速过高会出现安全事故，这是非常危险的，电动真空泵出现故障，BCM 会将信号传递给 VCU，VCU 将会限制电机转速和车速，使电机转速和车速在 30km/h 以内。

在下列工作条件下，仪表盘上的功率限制指示灯点亮，在炎热的天气进行长途爬坡，车辆处于停停走走的交通状态，急加速、急制动，车辆长时间运行，拖曳挂车时，仪表盘上的功率限制指示灯点亮，则说明电机或电机控制器温度过高（超出正常范围），导致电机功率受到限制而无法加速，驱动电机转子高速旋转会产生高温，热量通过机体传递，如果不加以降温，驱动电机无法正常工作，因此驱动电机机体内设置有冷却液道，通过冷却液的循环与外界进行热交换，这样能将驱动电机的工作温度保持在一定范围内，防止驱动电机过热。电机控制器不但控制驱动电机的高压三相供电，还要将动力蓄电池的高压直流电转化成低压直流电为铅酸蓄电池充电，在此过程中也会产生热量，需要通过冷却液循环散热。冷却系统的作用就是通过冷却液循环散热为驱动电机、电机控制器散热。电动冷却液泵由低压电路驱动，为冷却液的循环提供压力。该故障车在正常温度下起步行驶不久后便出现过温功率限制，分析认为很可能是，冷却系统故障或电机、电机控制器自身故障。

功率限制指示灯点亮故障分析如图 3-2-2 所示。

故障诊断流程

仪表功率限制指示灯点亮时，一般遵循图 3-2-3 所示的故障诊断流程进行排除。吉利帝豪 EV450 纯电动汽车仪表功率限制指示灯点亮故障时，经与客户沟通，进行故障确认,根据故障现象及故障码、数据流,仪表功率限制指示灯点亮故障应该从电动真空泵本身及其相关电路、熔丝、继电器等方面进行故障诊断分析。

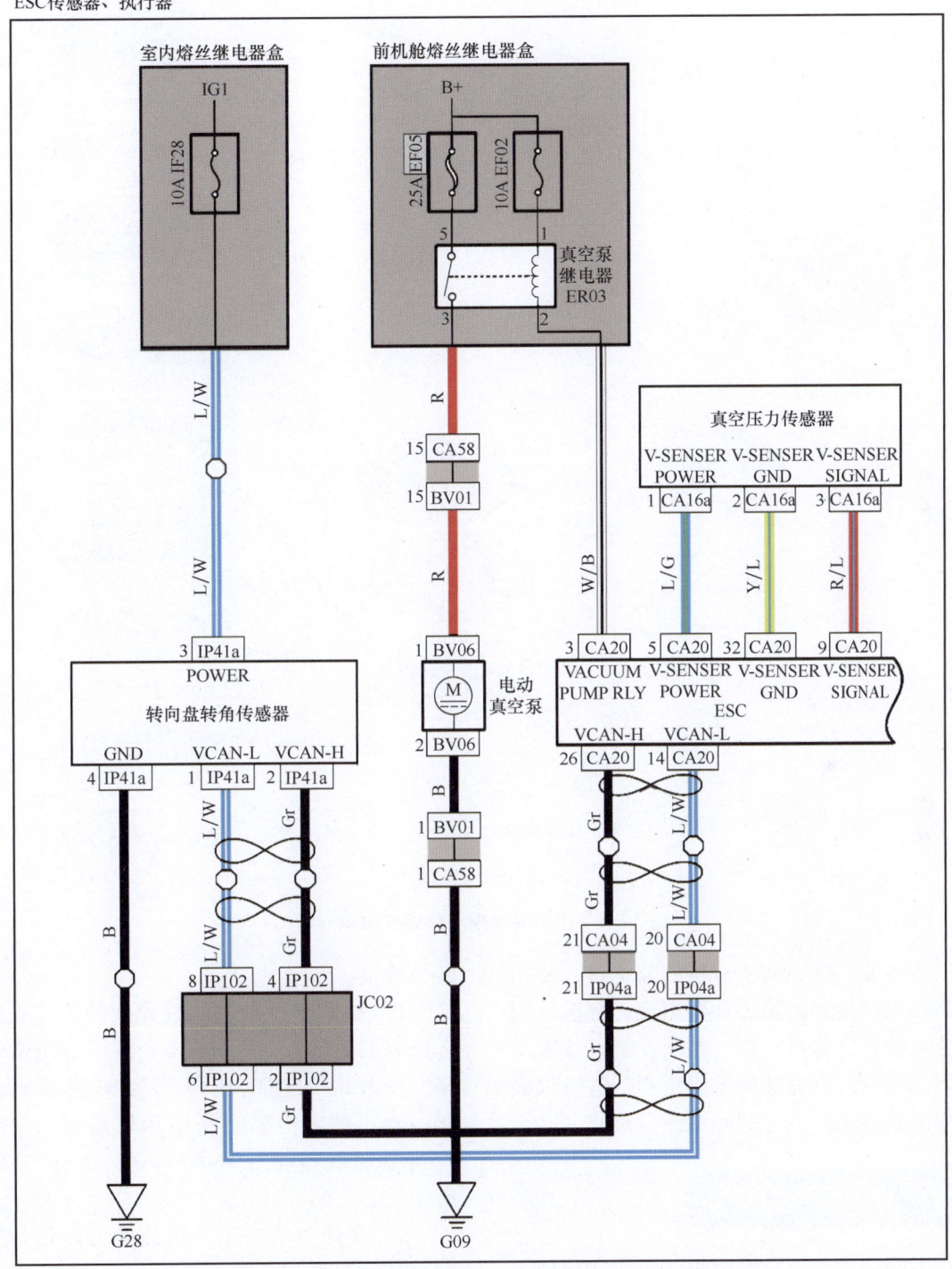

图 3-2-1　吉利帝豪 EV450 纯电动汽车电动真空泵电路图

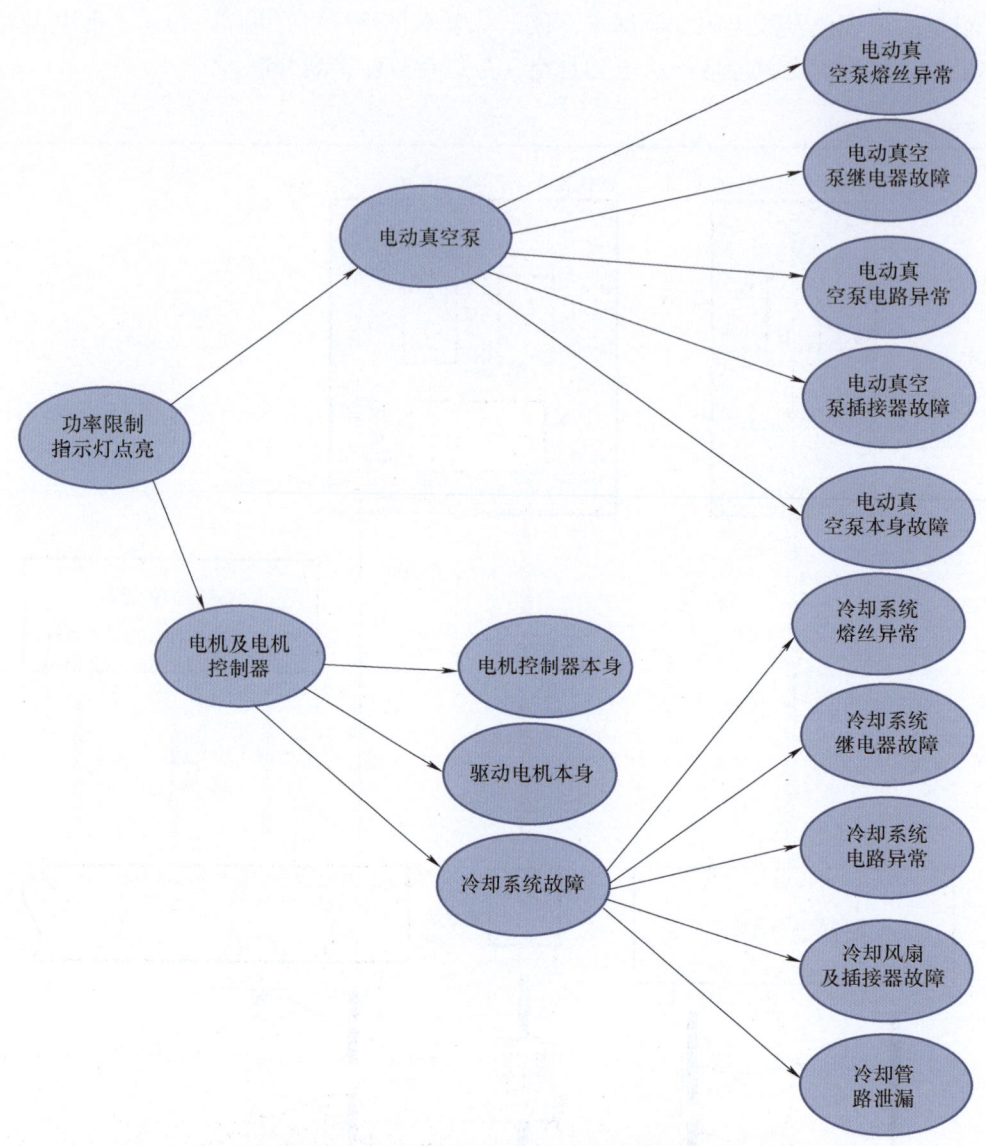

图 3-2-2　功率限制指示灯点亮故障分析

将故障再现，初步分析故障位置，使用故障诊断仪检查故障码和数据流，分析、判断故障位置，通过分析、判断，制订仪表功率限制指示灯点亮故障维修流程，进行仪表功率限制指示灯点亮故障检测与维修。

故障诊断与修复

下面利用上述诊断流程，完成情境导入中仪表功率限制指示灯点亮故障的检测、诊断与修复。

1）根据客户描述的故障现象，检查组合仪表的故障提示，READY 指示灯正常点亮，行驶时加速踏板踩到底车速最高到 30km/h，仪表功率限制指示灯点亮，没有听到电动真空泵工作的声音，如图 3-2-4 所示。

2）关闭点火开关，将故障诊断仪与车辆 OBD Ⅱ诊断口连接。

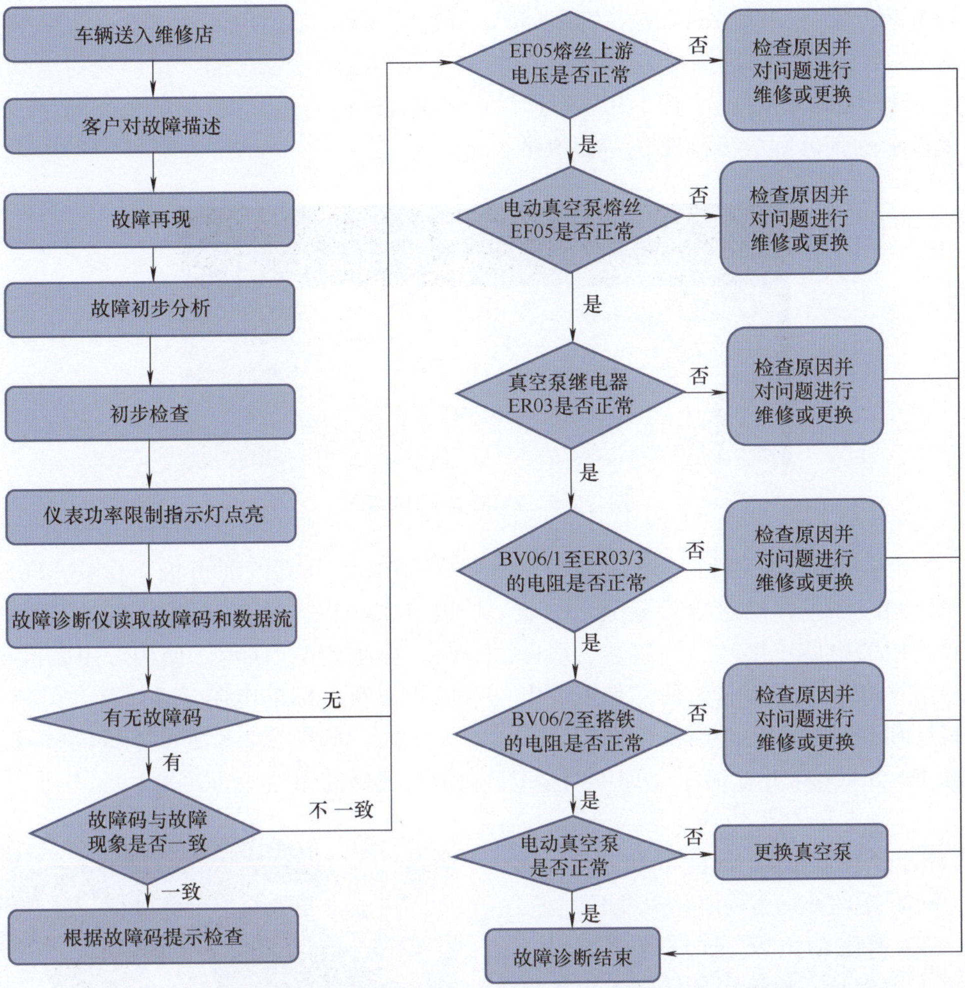

学习情境 3　电机驱动系统故障诊断与排除

图 3-2-3　吉利帝豪 EV450 纯电动汽车仪表功率限制指示灯点亮的故障诊断流程

图 3-2-4　仪表功率限制指示灯点亮故障确认

3）车辆上电，使用故障诊断仪对帝豪EV450纯电动汽车进行故障码和数据流的读取，读取BCM故障码和数据流，读取故障码为P1C3E96 HBB失败，如图3-2-5所示。通过仪表显示的信息和故障诊断仪所读取的信息，初步判断为电动真空泵系统可能出现故障，故障部位可能是熔丝、电路等，由简入难的故障诊断思路，可以先对电动真空泵电路进行检查。

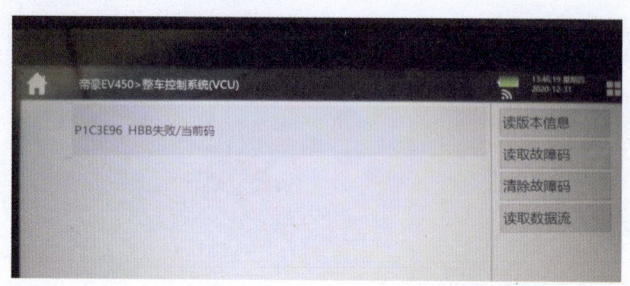

图3-2-5　BCM故障码读取

4）查阅吉利帝豪EV450纯电动汽车电动真空泵控制电路图，确定故障范围，电动真空泵及其相关电路、熔丝、插接器、继电器等，根据故障范围找到电动真空泵控制电路供电熔丝EF05为20A，电动真空泵控制供电电路为B+至BV06/1号端子，如图3-2-1所示。

5）断开蓄电池负极，等待5min，进行基本检查，EF05熔丝外观连接情况是否正常。

6）连接蓄电池负极，使用万用表检查EF05熔丝上游电压，标准电压应为蓄电池电压，实测电压为蓄电池电压，如图3-2-6所示。

图3-2-6　EF05熔丝上游电压检查

7）断开蓄电池负极，检查EF05熔丝，拔下EF05熔丝，目测检查，发现熔丝熔断，如图3-2-7所示。使用万用表检查EF05熔丝通断，标准电阻小于1Ω，实测电阻为无穷大，如图3-2-8所示，熔丝故障，更换相同规格的熔丝。

图3-2-7　目测检查EF05熔丝

8）更换20A的EF05熔丝，测量熔丝通断电阻为0Ω，如图3-2-9所示，安装EF05熔丝。

9）连接蓄电池负极。

10）车辆上电，使用故障诊断仪对帝豪EV450纯电动汽车进行故障码和数据流的读取，VCU 显示无故障码，确认故障已排除。

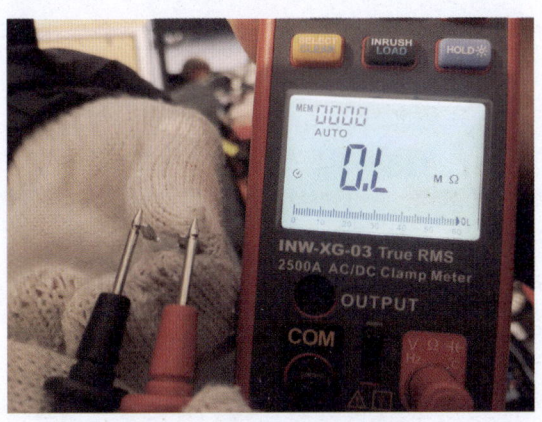

图 3-2-8　EF05 熔丝通断检查

图 3-2-9　新 EF05 熔丝通断检查

故障案例分析

电动真空泵出现故障时，真空压力传感器检测到错误的压力，将错误的信号传递给 ESC，ESC 认为电动真空泵出现故障，将信号传递给 BCM，BCM 再将信号传递仪表，仪表会显示功率限制指示灯。

学习小结

1. 电动真空泵出现故障，行驶时加速踏板踩到底车速最高到 30km/h，仪表功率限制指示灯点亮，没有听到电动真空泵工作的声音。

2. 电动真空泵出现故障，制动系统没有助力，只是靠人给的力量制动，车速过高会出现安全事故，这是非常危险的，电动真空泵出现故障，BCM 会将信号传递给 VCU，VCU 将会限制电机转速和车速，使电机转速和车速在 30km/h 以内。

3. 仪表盘上的功率限制指示灯点亮，一般有两种情况，一种是电机温度太高，需停车并使电机降温；另一种是电动真空泵出现故障，制动无助力。

课外小故事

刀片破局·电擎山河——比亚迪的换道革命

（1）战略抉择：押注新能源赛道　2008 年，当大多数车企还在深耕燃油车时，比亚迪董事长王传福力排众议，宣布"All in 新能源"。当时业内嘲笑这是"自杀式转型"，但王传福坚信："中国在燃油车领域落后太多，只有在新能源赛道才能实现超越。"

（2）技术突围：动力蓄电池革命定乾坤　2015 年，比亚迪突破磷酸铁锂电池技术瓶颈，研发出"刀片电池"。这种动力蓄电池体积利用率提升 50%，成本降低 30%，且通过严苛的针刺试验。德国汽车工程师惊叹："他们重新定义了动力蓄电池安全标准。"

（3）垂直整合：构建全产业链护城河　比亚迪自建电机、电控、IGBT 芯片全产业链，疫情期间，当其他车企因芯片断供停产时，比亚迪产能逆势增长。特斯拉 CEO 马斯克曾公开表示："比亚迪的垂直整合能力令人印象深刻。"

（4）产品爆发：多品牌矩阵出击　2022 年，比亚迪推出高端品牌"仰望"，其"易四方"四电机驱动技术实现横向移动、原地掉头等颠覆性功能。同年，比亚迪新能源车销量达 186 万辆，超越特斯拉成为全球销冠。

（5）全球布局：从追随者到规则制定者　在泰国建厂、欧洲设研发中心、日本推出电动巴士……如今比亚迪已进入全球 70 多个市场。德国《明镜》周刊评论："中国电动车正在改写全球汽车产业格局。"

从燃油车时代的"后来者"，到新能源时代的"领跑者"，比亚迪用 15 年时间完成"弯道超车"。这印证了王传福的名言："弯道超车不是取巧，而是在新赛道建立新规则。"其成功经验表明：抓住技术变革窗口期，坚持自主创新，中国汽车完全有可能实现从追赶者到引领者的跨越。

学习情境 3　电机驱动系统故障诊断与排除

学习单元 3.3　电机控制器无法通信故障诊断与排除

情境导入

一辆吉利帝豪 EV450 纯电动汽车，客户反映启动车辆后，车辆无法行驶。经维修技师上电查看发现，READY 指示灯没有点亮。蓄电池充电警告灯点亮，系统故障警告灯点亮，故障提醒警告灯点亮，EPB（电子驻车制动系统）故障警告灯点亮，ESC 故障警告灯点亮。经过维修技师诊断，确认是 PEU 电机控制系统 EF32 熔丝熔断故障，更换 EF32 熔丝，故障现象消失，车辆可以正常行驶。

电机控制器无法通信故障诊断与排除

故障原因分析

仪表上 READY 指示灯没有点亮，蓄电池充电警告灯点亮，系统故障警告灯点亮，故障提醒警告灯点亮，EPB 故障警告灯点亮，ESC 故障警告灯点亮，电机控制系统发生故障一般会出现这几个故障指示灯点亮。根据故障指示灯初步可以判断为电机控制器及其熔丝、继电器、电路出现故障，电机控制器出现故障，如果是电源或 PCAN 线故障，电机控制器无法与其他系统进行通信，电机控制器无法进入读取故障码和数据流，如果不是电源或 PCAN 线故障，那么电机控制器就可以进去读取故障码和数据流。电机控制器电路图如图 3-3-1 所示。

电机控制器无法通信的故障主要部位有电机控制器、整车控制系统等，如图 3-3-2 所示。

电机控制器电源出现故障，电机控制系统无法正常工作，电机控制器本身负责车辆的任务也无法进行，这样就使车辆无法上高压电以及正常行驶，电机控制器的电源是由蓄电池提供的，经过 EF32 熔丝、CA58 插接器、BV01 插接器、BV11 插接器最终到达电机控制系统。

电机控制器 PCAN 总线出现故障，电机控制器可以正常工作，但是电机控制系统向外传递的所有信号都无法传递到整车控制系统，这时整车控制系统就会认为电机控制系统出现故障，不允许全车上高压电，同时整车控制系统还要向 BCM 系统发送电机控制器故障，BCM 会将故障显示在仪表上。

电机控制器其他线束出现故障或多或少与电源和 PCAN 总线故障的故障现象有所区别，排除故障一定要由简入难。分析出是电机控制器故障，那么首先要检测的故障应该是电机控制器的电源线，汽车在工作时，它的电路和原件不宜损坏，熔丝比较容易出现故障。

电机控制器上也有高压线束，因高压线束不负责电机控制器的工作，所以电机控制器出现故障不用考虑高压线束。

故障诊断流程

当车辆发生电机控制器无法通信故障时，一般遵循图 3-3-3 所示的故障诊断流程进行排除。吉利帝豪 EV450 纯电动汽车发生电机控制器无法通信故障时，故障是上电后出现的，与客户沟通后，进行故障确认，电机控制器无法通信故障诊断流程应该从电机控制器电源、PCAN 总线、搭铁、电机控制器本身等方面进行故障分析。

根据客户的描述现场的故障再现，初步

53

分析故障位置,使用故障诊断仪检查故障码和数据流,分析、判断故障位置,通过分析、判断,制订故障维修流程,进行故障检测。

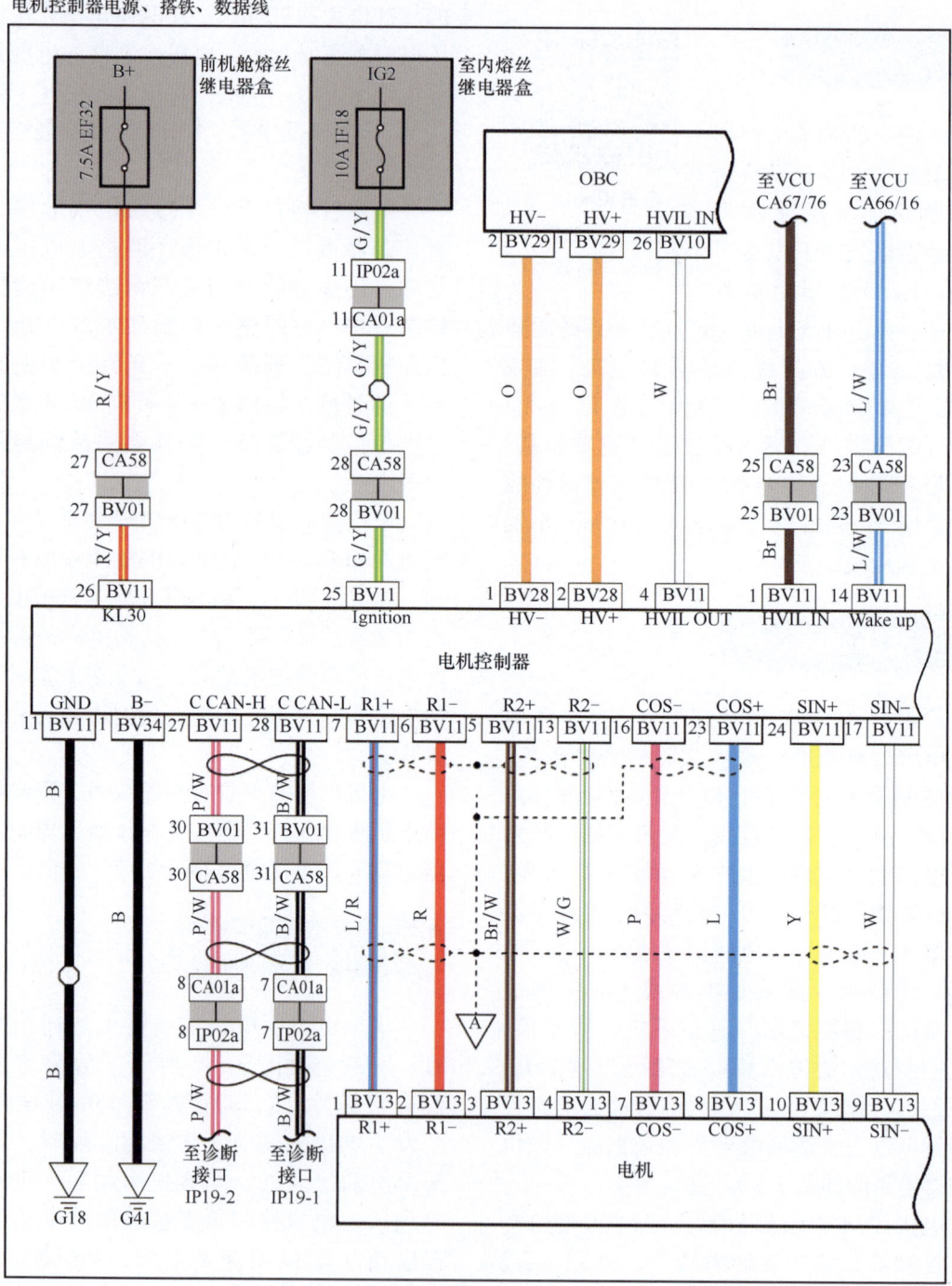

图 3-3-1 吉利帝豪 EV450 纯电动汽车电机控制器电路图

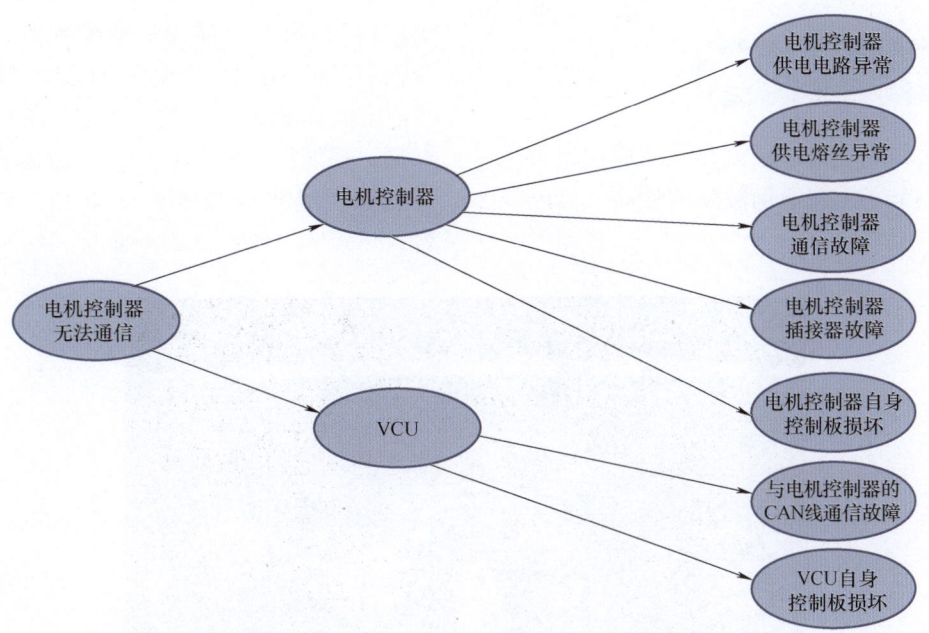

图 3-3-2　电机控制器无法通信的故障点分析

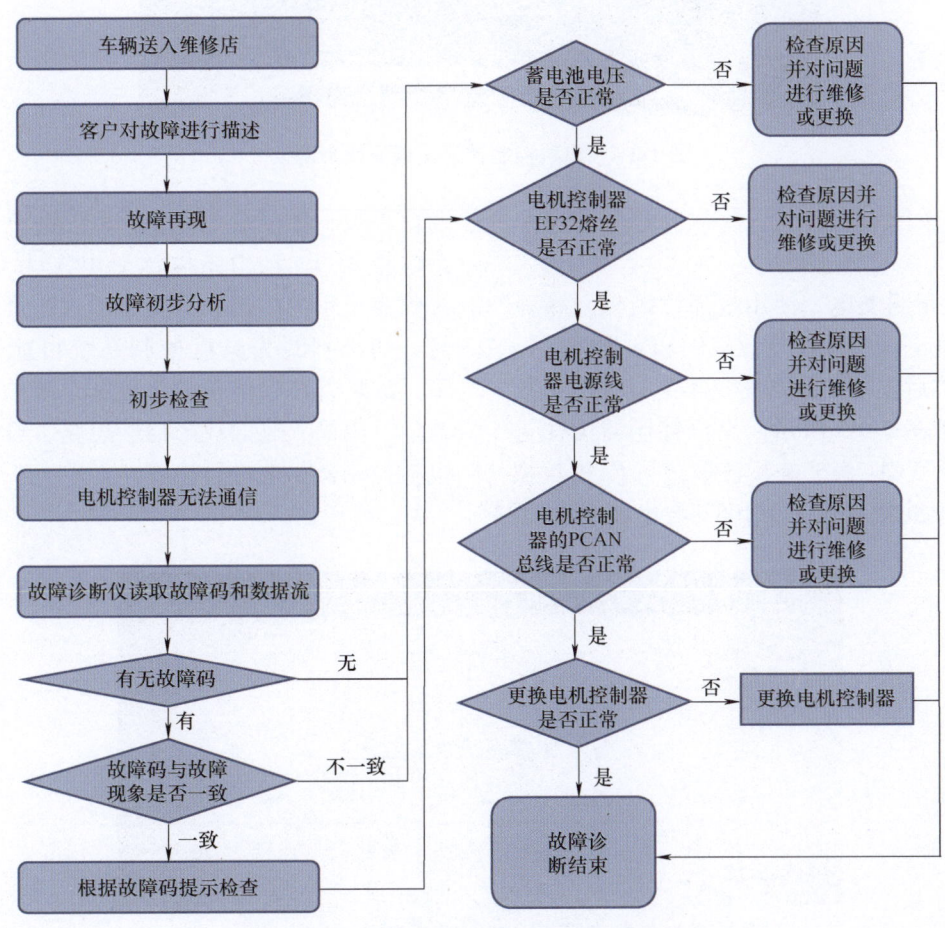

图 3-3-3　电机控制器无法通信故障诊断流程

故障诊断与修复

下面利用上述诊断流程,完成情境导入中电机控制器无法通信故障的检测、诊断与修复。

1)根据客户描述的故障现象,检查组合仪表的故障提示,发现 READY 指示灯没有点亮,车辆无法行驶,蓄电池充电警告灯点亮,系统故障警告灯点亮,故障提醒警告灯点亮,EPB 故障警告灯点亮,ESC 故障警告灯点亮,如图 3-3-4 所示。

图 3-3-4　电机控制器无法通信故障确认

2)关闭点火开关,将故障诊断仪与车辆 OBDⅡ诊断口连接。

3)车辆上电,使用故障诊断仪对帝豪 EV450 纯电动汽车进行故障码和数据流的读取,读取后发现故障诊断仪不能进入电机控制器,如图 3-3-5 所示。电机控制器无法进入,更换 VCU 系统进行读取故障码和数据流,读取故障码为 U011087 与电机控制器通信丢失,如图 3-3-6 所示。数据流读取剩余电量为 0,动力蓄电池总电压为 0V,通过仪表显示的信息和故障诊断仪所读取的信息,初步判断为电机控制系统可能出现故障,故障部位可能是电机控制系统的供电和通信,由简入难的故障诊断思路,可以先对电机控制器供电进行检查。

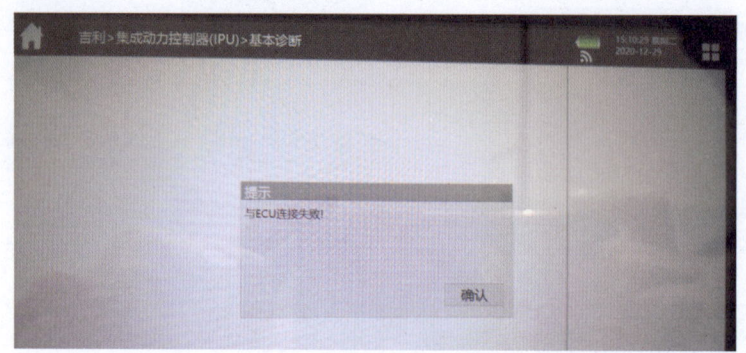

图 3-3-5　电机控制器无法进入

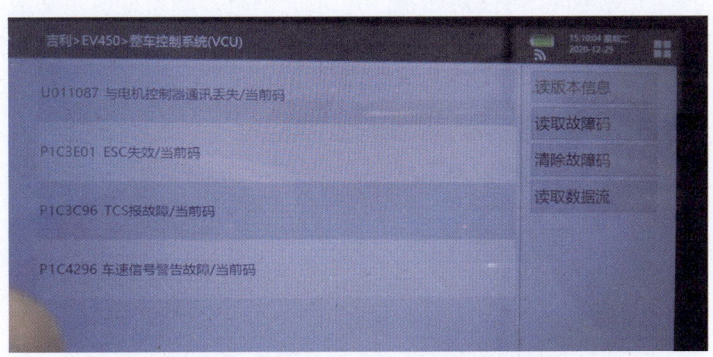

图 3-3-6　VCU 系统进行读取故障码

4）查阅吉利帝豪 EV450 纯电动汽车电机控制系统电路图，确定故障范围为电机控制系统自身及其相关电路、熔丝、继电器、插接器等，根据故障范围找到电机控制系统模块供电熔丝为 EF32，供电电路为 B+至 BV11/26 号端子，如图 3-3-1 所示。

5）断开蓄电池负极，等待 5min，进行基本检查，BV11 插接器外观及连接情况是否正常，如图 3-3-7 所示。

图 3-3-7　插接器外观及连接情况检查

6）检查 EF32 熔丝，目测熔丝熔断，再用数字钳形万用表检查，发现熔丝两侧针脚电阻为 OL，确定 EF32 熔丝熔断，如图 3-3-8 所示。

7）更换 7.5A 的 EF32 熔丝，测量 BV11/26 号端子电压为当前蓄电池电压，如图 3-3-9 所示。

8）连接 BV11 插接器，连接蓄电池负极。

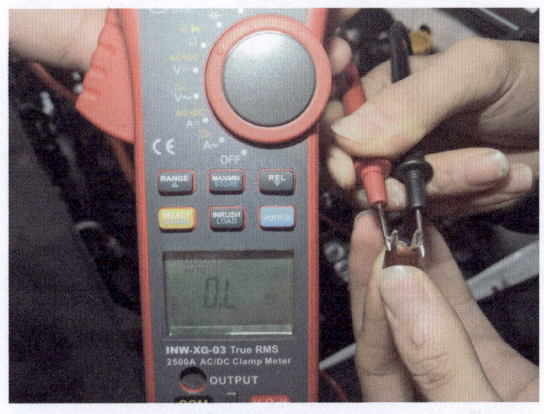

图 3-3-8　EF32 熔丝检查

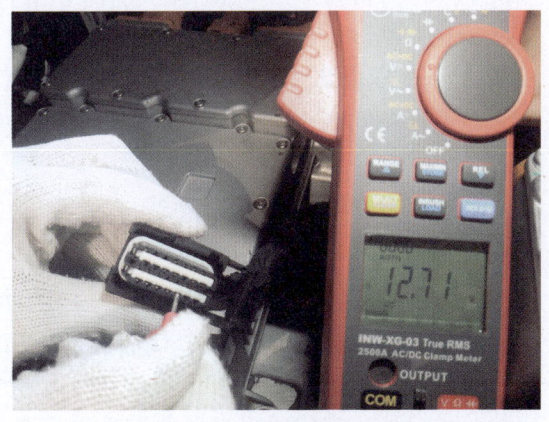

图 3-3-9　BV11/26 号端子电压测量

9）车辆上电，使用故障诊断仪对帝豪EV450纯电动汽车进行故障码和数据流的读取，电机控制系统显示无故障码，如图3-3-10所示，确认故障已排除。

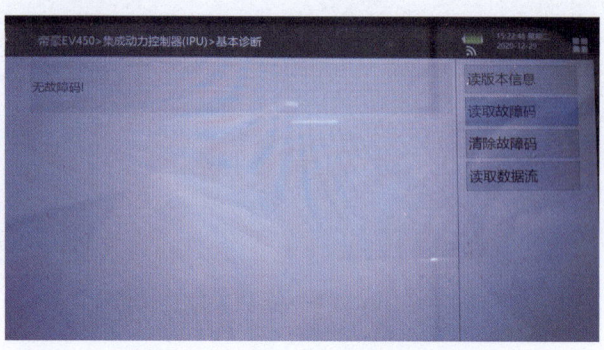

图 3-3-10　电机控制系统显示无故障码

故障案例分析

由吉利帝豪 EV450 纯电动汽车电机控制器电路图（图 3-3-1）可以分析出，电机控制器的供电是由 B+完成的，EF32 熔丝熔断时，电机控制器没有供电成功，因此电机控制器未能正常工作，电机控制器所有的信息电机控制器未能收集到，信息不能通过 PCAN 总线传送给 VCU，因此仪表不能正确地获取电机控制器信息。

学习小结

1. 电机控制器无法通信故障时，仪表上会显示蓄电池充电警告灯、系统故障警告灯、故障提醒警告灯、EPB 故障警告灯、ESC 故障警告灯，一般这类故障是由于电机控制器故障、VCU 故障等导致的。

2. 电机控制器收集驱动电机、IGBT 和制动能量回收等信息，然后通过电机控制器的 PCAN 总线传递给 VCU，再由 VCU 通过 VCAN 总线传递给 BCM，由 BCM 将信息传递给仪表盘进行显示。

3. 电机控制器的故障主要包含电机控制器供电电路异常、电机控制器供电熔丝异常、电机控制器自身控制板损坏、电机控制器通信故障、电机控制器插接器故障等。

课外小故事

标准博弈——中国动力蓄电池的度量衡革命

（1）困局：受制于人的标准体系　2015 年前，全球新能源汽车动力蓄电池测试标准由欧美日韩主导。中国企业出口动力蓄电池必须支付高昂认证费用，且常因标准差异被拒之门外。宁德时代曾因德国某项循环测试标准不明确，整批动力蓄电池被退回，损失超亿元。

（2）破冰：中国标准的首次突围　2017年，中国主导制定的《电动汽车用动力蓄电池安全要求》被纳入联合国全球技术法规（GTR 20），这是中国首次在汽车领域牵头国际标准制定。专家团队创新性提出"热扩散5分钟预警"标准，比欧美方案更符合实际安全需求。

（3）升级：从跟随到引领　2020年，中国发布"针刺试验"国家标准。当某外资品牌动力蓄电池在测试中起火时，宁德时代用"刀片电池"直播针刺实验，视频全球播放量破亿。韩国媒体感叹："安全标准的话语权正在东移。"

（4）扩张：全球标准网络构建　2023年，中国牵头成立"全球新能源汽车电池标准联盟"，15个国家参与。比亚迪的"电池护照"溯源体系、蔚来的"可充可换可升级"标准成为行业参考模板。欧盟不得不修改动力蓄电池法规，部分采纳中国方案。

（5）落地：标准带来的产业红利　凭借标准优势，2023年中国动力蓄电池全球市占率达63%。在东南亚，采用中国标准的动力蓄电池项目获快速审批；在欧洲，中国企业的测试数据被直接采信。某德国车企高管坦言："现在开发新车型，首先要看中国标准。"

从"遵守别人规则"到"制定世界标准"，中国用八年时间改写了动力蓄电池产业格局。全国汽车标准化技术委员会专家王芳指出："标准之争本质是技术路线之争，更是产业主导权之争。"如今，当全球新能源汽车动力蓄电池的测试方法、安全指标、回收体系都烙上"中国标准"印记时，一个新的时代已然来临。

学习情境 4

整车控制系统故障诊断与排除

学习目标

- 能根据仪表显示的故障现象、故障诊断仪读取的故障码和数据流及电路图分析故障。
- 能通过故障诊断仪读取故障码和数据流,并对故障码和数据流进行分析。
- 能制订整车控制系统 HB CAN 总线诊断流程。
- 能根据制订的诊断流程对整车控制系统 HB CAN 总线进行故障诊断。
- 能制订整车热管理系统诊断流程。
- 能根据制订的诊断流程对整车热管理系统进行故障诊断。
- 能制订高压互锁故障诊断流程。
- 能根据制订的诊断流程对高压互锁进行故障诊断。
- 能根据诊断结果判定故障点,并对故障点进行维修或更换故障元器件。

学习单元 4.1 VCU 与其他控制系统无法通信故障诊断与排除

情境导入

一辆吉利几何 G6 纯电动汽车,客户反映仪表很多灯点亮,车辆无法行驶。经维修技师上电查看发现踩下制动踏板车辆处于 ON 档,ESC 故障警告灯点亮,车道保持辅助系统故障警告灯点亮,陡坡缓降控制系统故障警告灯点亮,自动紧急制动系统故障警告灯点亮,系统故障警告灯点亮,自动驻车状态警告灯点亮,EBD(电子制动力分配系统)故障警告灯点亮,电子驻车制动系统故障警告灯点亮,踩下制动踏板无法挂上 D 位或 R 位,运行准备就绪指示灯 READY 无法点亮。经过维修技师诊断排除,确认是 VCU 的 HB-CAN 总线通信故障,更换 HB CAN 总线后故障现象消失,车辆可以正常行驶。

故障原因分析

踩下制动踏板、车辆处于 ON 档,ESC 故障警告灯点亮,车道保持辅助系统故障警告灯点亮,陡坡缓降控制系统故障警告灯点

学习情境 4　整车控制系统故障诊断与排除

亮，自动紧急制动系统故障警告灯点亮，系统故障警告灯点亮，自动驻车状态警告灯点亮，EBD 故障警告灯点亮，电子驻车制动系统故障警告灯点亮；踩下制动踏板无法挂上 D 位或 R 位，运行准备就绪指示灯 READY 无法点亮。根据故障指示灯及故障码和数据流初步可以判断为 VCU 本身及其熔丝、继电器、电路出现故障，VCU 出现故障。如果是电源或 HB CAN 总线通信故障，VCU 无法与其他系统进行通信，VCU 无法进入读取故障码和数据流，需要在其他系统读取 VCU 故障码和数据流；如果不是电源或 HB CAN 总线故障，那么 VCU 就可以读取故障码和数据流。VCU 系统电路图如图 4-1-1 所示。

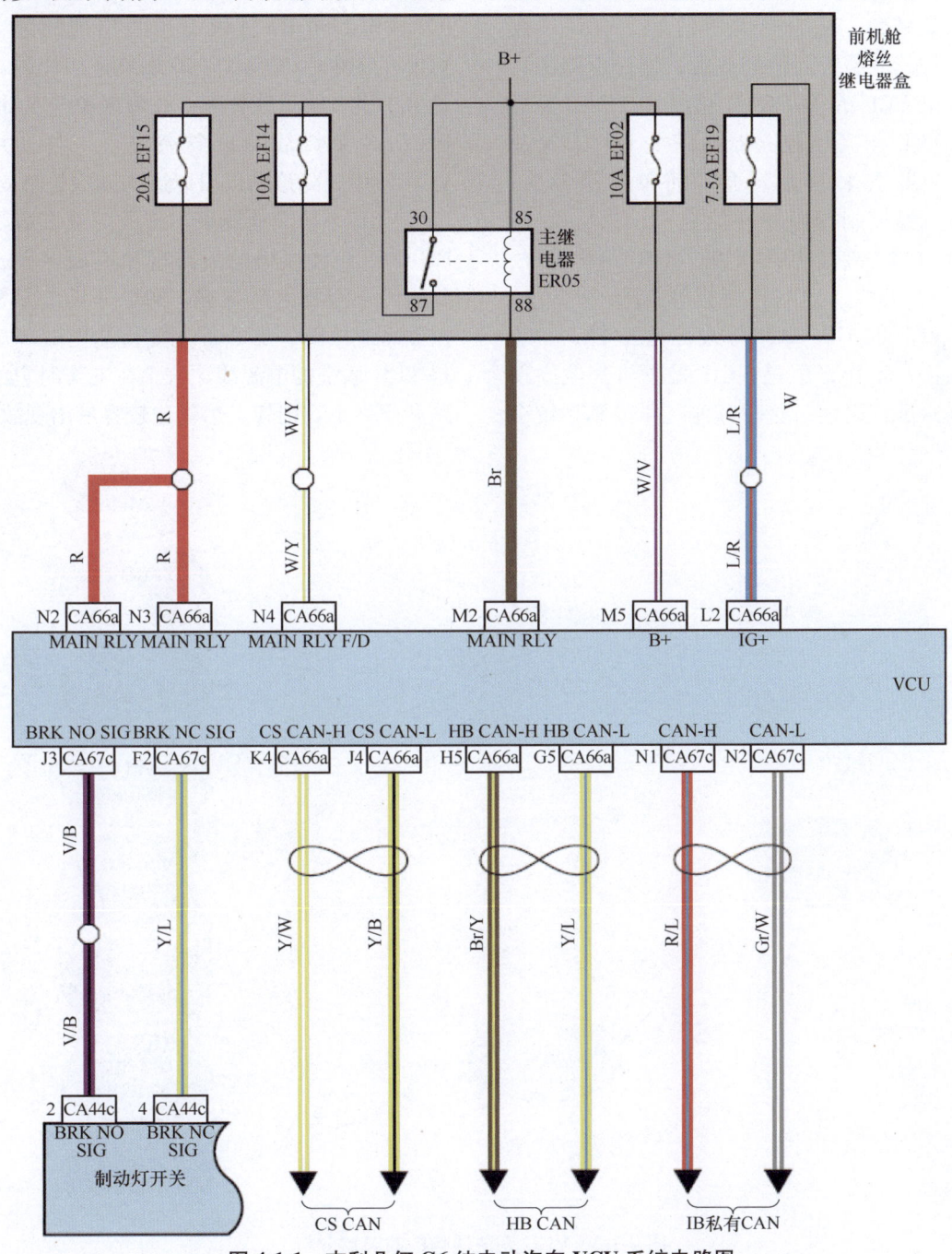

图 4-1-1　吉利几何 G6 纯电动汽车 VCU 系统电路图

61

VCU 无法通信的故障主要包括 VCU 本身、电源和 HB CAN 总线等，如图 4-1-2 所示。

　　VCU 电源出现故障，VCU 无法正常工作。VCU 与车辆所有高压控制器、网关、转向盘转角、前单目摄像头、安全气囊控制模块、自动泊车模块、组合开关等系统通信，VCU 出现故障后无法给出加速踏板、转向盘转角、组合开关等信号，VCU 出现无法与其他系统通信的故障。通过电路图可以看出 VCU 有 HB CAN 总线和 CS CAN 总线，VCU 与高压控制器通信是 HB CAN 总线，VCU 与转向盘转角、前单目摄像头、安全气囊控制等模块通信是 CS CAN 总线。VCU 故障主要是 VCU 电源、HB CAN 总线、CS CAN 总线、VCU 控制板等故障。

　　VCU 的 HB CAN 总线出现故障，VCU 可以正常工作，但是 VCU 无法与其他高压控制器进行通信，这时其他高压控制系统会失去与 VCU 通信，其他高压控制器断开高压电，同时整车控制系统还要向网关发送 VCU 与其他系统失去通信的信息，网关会将故障显示在仪表上。

　　VCU 电源出现故障与 HB CAN 总线出现故障还有区别，VCU 有两根电源线，一根电源线是由 B+直接供电，另一根电源线是由 IG1 供电。当 B+这根电源线出现故障，与 VCU 的 HB CAN 总线故障现象是一样的，但是 IG1 供电线出现故障，故障现象与 VCU 的 HB CAN 总线故障现象完全不一样，并且 VCU 使用故障诊断仪可以进入读取故障码。

　　VCU 系统其他线束出现故障或多或少与 HB CAN 总线故障的故障现象有所区别，排除故障一定要由简易难。如果分析出是整车控制系统故障，那么首先要检测的故障应该是 VCU 系统的电源线，汽车在工作时它的电路和原件不宜损坏，熔丝比较容易出现故障。

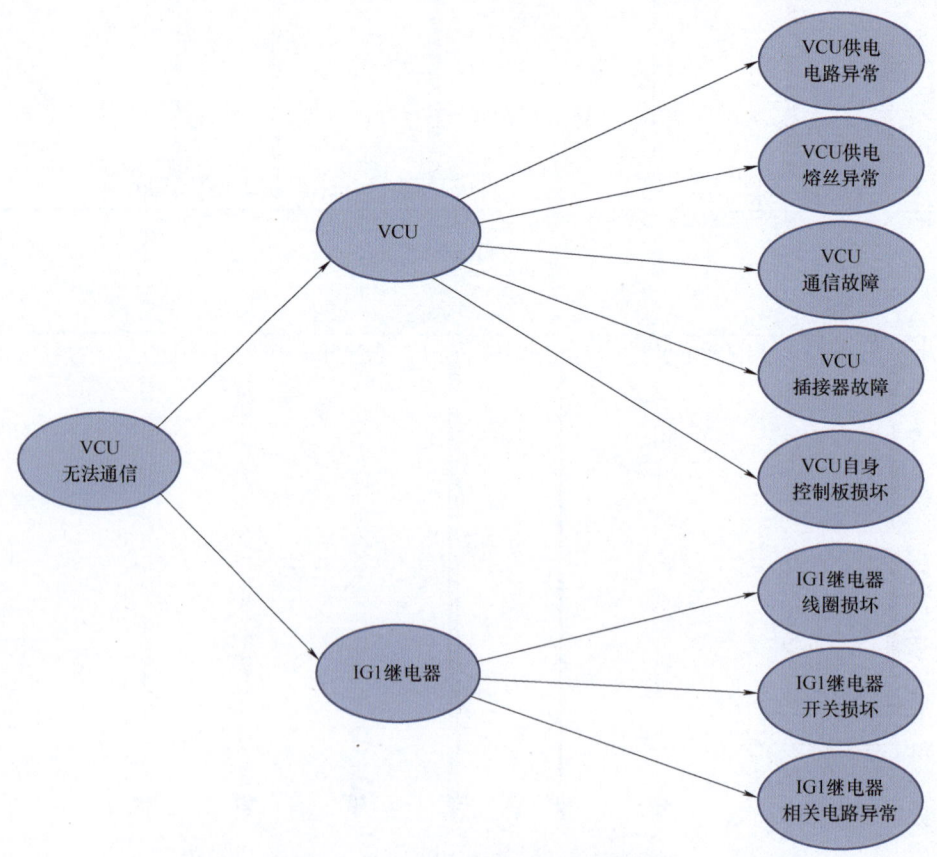

图 4-1-2　VCU 无法通信的故障点分析

学习情境 4　整车控制系统故障诊断与排除

📋 故障诊断流程

当车辆发生 VCU 与其他高压控制器无法通信故障时，一般遵循图 4-1-3 所示的故障诊断流程进行排除。吉利几何 G6 纯电动汽车发生 VCU 与其他高压控制器无法通信故障时，故障是上电后出现的，与客户沟通后，进行故障确认，VCU 无法通信故障诊断流程应该从 VCU 电源、HB CAN 总线、搭铁、电机控制器本身等方面进行故障分析。

根据客户的描述现场的故障再现，初步要分析故障位置，使用故障诊断仪检查故障码和数据流，分析、判断故障位置，通过分析、判断制订故障维修流程，进行故障检测，如图 4-1-3 所示。

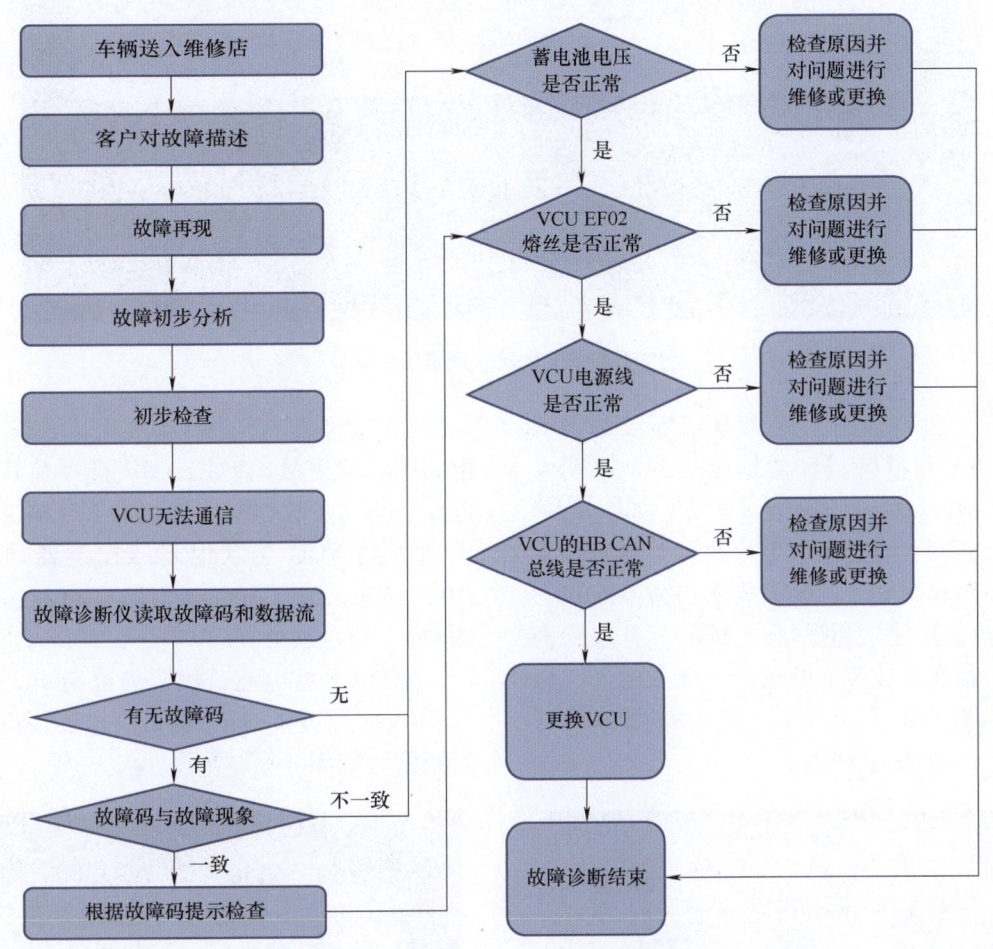

图 4-1-3　VCU 无法通信故障诊断流程

💡 故障诊断与修复

下面利用上述诊断流程，完成情境导入中 VCU 无法通信故障的检测、诊断与修复。

1）根据客户描述的故障现象，检查组合仪表的故障提示，发现 READY 指示灯没有点亮，踩下制动踏板车辆处于 ON 档，ESC 故障警告灯点亮，车道保持辅助系统故障警告灯点亮，陡坡缓降控制系统故障警告灯点亮，自动紧急制动系统故障警告灯点亮，系统故障警告灯点亮，自动驻车状态警告灯点亮，EBD 故障警告灯点亮，电子驻车制动系统故障警告灯点亮，踩下制动踏板无法挂上 D 位或 R 位，如图 4-1-4 所示。

2）关闭点火开关，将故障诊断仪与车辆 OBD Ⅱ 诊断口连接。

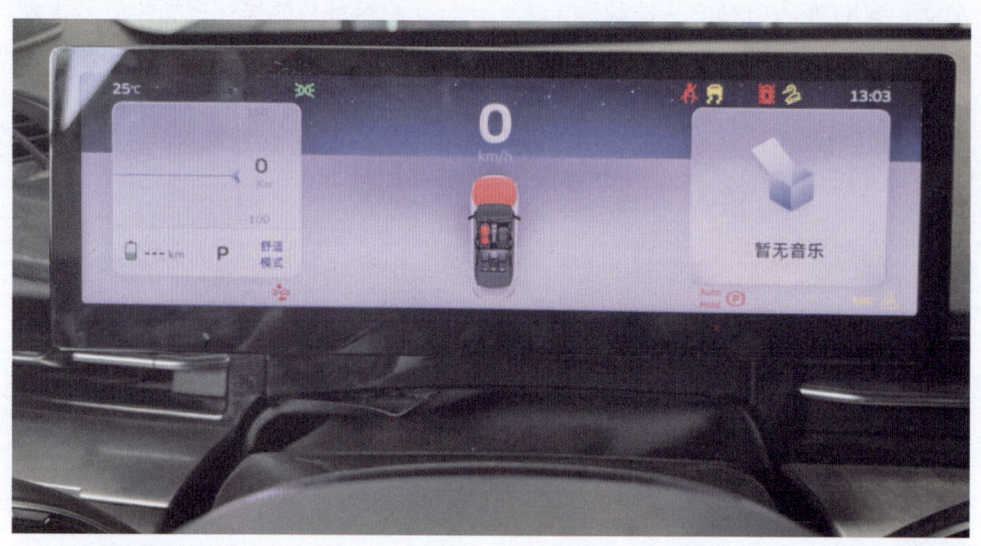

图 4-1-4　VCU 无法通信故障确认

3）车辆上电，使用故障诊断仪对吉利几何 G6 进行故障码和数据流的读取，读取后发现故障诊断仪不能进入 VCU，如图 4-1-5 所示。VCU 无法进入，更换网关系统进行读取故障码和数据流，读取故障码为 U111487-VCU 节点丢失，如图 4-1-6 所示。通过仪表显示的信息和故障诊断仪所读取的信息，初步判断为 VCU 可能出现故障，故障部位可能是 VCU 的供电和通信。

4）查阅吉利几何 G6 纯电动汽车 VCU 电路图，确定故障范围 VCU 自身及其相关电路、熔丝、继电器、插接器等，根据故障范围找到 VCU 与其他高压控制器通信的 HB CAN 总线是 CA66a/H5 和 CA66a/G5，如图 4-1-7 所示。

5）断开蓄电池负极，等待 5min，进行基本检查，CA66a 插接器外观及连接情况是否正常，如图 4-1-8 所示。

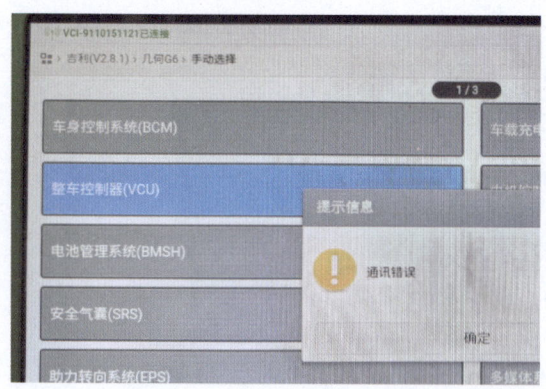

图 4-1-5　VCU 无法进入

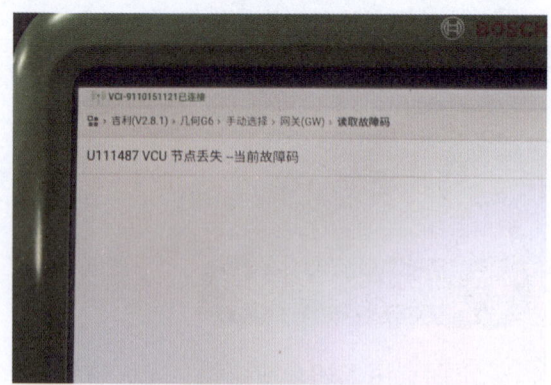

图 4-1-6　网关系统故障码

学习情境 4　整车控制系统故障诊断与排除

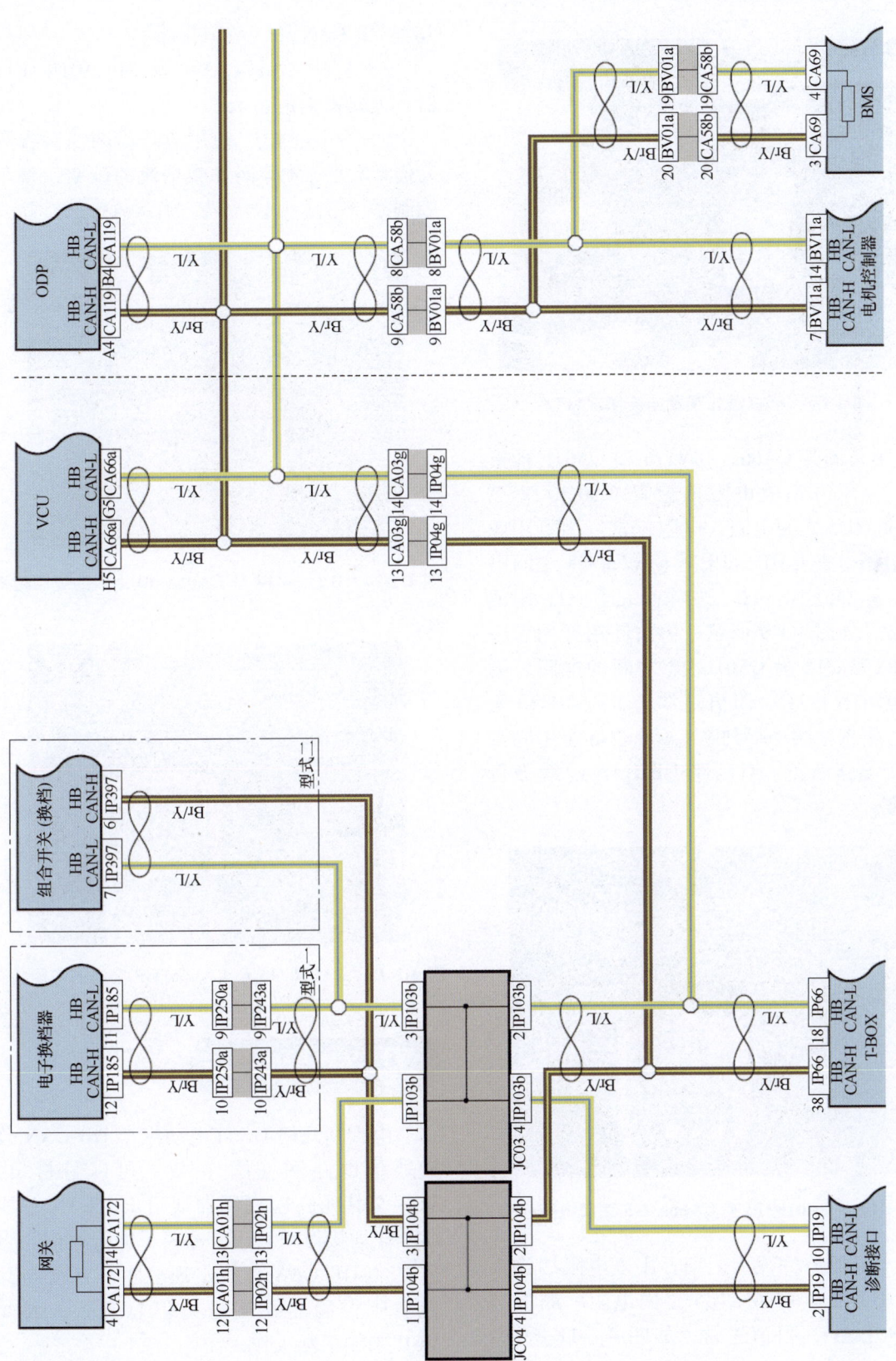

图 4-1-7　VCU 的 HBCAN 总线电路图

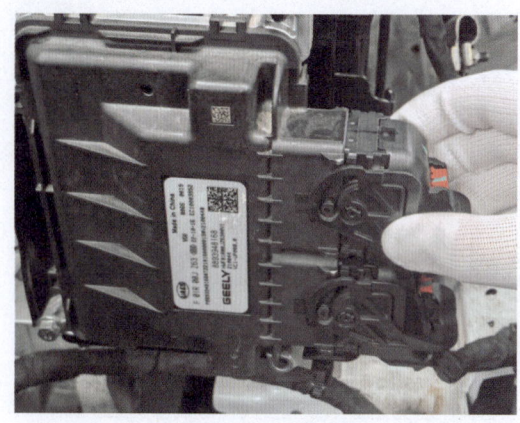

图 4-1-8 插接器外观及连接情况检查

6）断开 CA66a、BV11a 和 CA01h 插接器，使用万用表电阻档检查 CA01h/12 至 CA66a/H5 之间电阻，电阻正常。用万用表电阻档检查 CA01h/13 至 CA66a/G5 之间电阻，标准值小于 1Ω，实测值大于 1Ω，阻值异常，如图 4-1-9 所示。再次使用万用表检查 BV11a/14 至 CA01h/13 之间的电阻，测量电阻小于 1Ω，阻值正常，如图 4-1-10 所示。根据检测结果判断 CA66a/G5 至中间铰链接电路断路，对断路 HB CAN 总线进行维修。

图 4-1-9 CA01h/13 至 CA66a/G5 之间电阻检查

7）维修完成后，用万用表电阻档检查 CA01h/13 至 CA66a/G5 之间电阻，测量结果小于 1Ω，阻值正常，如图 4-1-11 所示，复查 HB CAN 总线故障排除。

8）连接 CA66a、BV11a 和 CA01h 插接器，连接蓄电池负极。

9）车辆上电，使用故障诊断仪对吉利几何 G6 进行故障码和数据流的读取，整车控制系统显示无故障码，确认故障已排除。

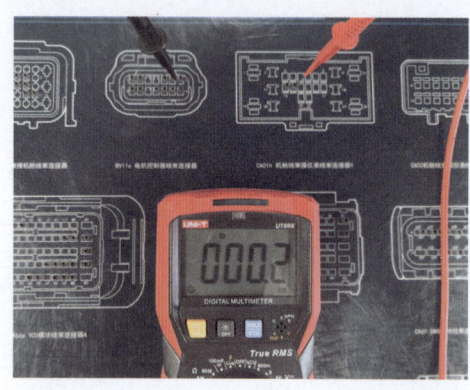

图 4-1-10 BV11a/14 至 CA01h/13 之间的电阻检查

图 4-1-11 CA01h/13 至 CA66a/G5 之间的电阻检查

故障案例分析

由吉利几何 G6 纯电动汽车 HB CAN 总线通信电路图（图 4-1-7）可以分析出，VCU 与其他高压控制器通过 HB CAN 总线 CA66a 插接器 H5、G5 号端子进行通信，当 VCU 的 HB CAN 总线出现故障，VCU 与其他高压控制器无法进行信息互换，因此 VCU 未能正常工作。

学习小结

1. VCU 与其他高压控制器无法通信故障时，踩下制动踏板车辆处于 ON 档，ESC 故障警告灯点亮，车道保持辅助系统故障警告灯点亮，陡坡缓降控制系统故障警告灯点亮，自动紧急制动系统故障警告灯点亮，系统故障警告灯点亮，自动驻车状态警告灯点亮，EBD 故障警告灯点亮，电子驻车制动系统故障警告灯点亮；踩下制动踏板无法挂上 D 位或 R 位，运行准备就绪指示灯 READY 无法点亮，一般这类故障是由于 VCU 故障、BMS 故障等导致的。

2. VCU 与 BMS、电机控制系统、ODP 系统、网关通过 HB CAN 总线通信，VCU 的 HB CAN 总线接收其他高压控制系统的信号，也通过 HB CAN 总线向其他的高压控制系统发送指令。

3. VCU 的故障主要包含 VCU 供电电路异常、VCU 供电熔丝异常、VCU 自身控制板损坏、VCU 通信故障、VCU 插接器故障等。

课外小故事

"生命防线"——高压电池维修安全体系的中国方案

（1）血的教训：高压电击事故频发　2019 年，某维修厂技师在未断电情况下检修新能源车动力蓄电池包，遭遇 800V 高压电击重伤。调查显示，当年全国新能源车维修触电事故达 37 起，暴露出"防护装备缺失、操作流程混乱、应急措施空白"三大安全隐患。

（2）技术破局：五重安全防护体系　2020 年，宁德时代联合职业院校研发"新能源维修安全防护系统"：

1) 智能断电锁止装置：需双人指纹验证才能解除高压。
2) AR 可视化引导：实时标注动力蓄电池包危险区域。
3) 阻抗检测仪：作业前自动检测人体绝缘状态。
4) 应急断电解锁：0.3s 切断残余电量。
5) 气凝胶防护服：可抵御 1000V 瞬时电压。

（3）标准升级：从企业规范到国标　2021 年，《新能源汽车高压系统维修安全规范》强制实施，规定：

1) 维修区必须配置防静电地板和绝缘工具。
2) 技术人员需持"高压电工作业证+新能源专项认证"双证上岗。
3) 建立"维修过程黑匣子"数据记录系统。

（4）实战检验：深圳暴雨救援启示　2022 年深圳暴雨，某停车场 50 辆新能源车泡水。维修团队运用"塔式排水检修法"：

1) 无人机红外扫描确定漏电点。
2) 远程启动动力蓄电池组排水模式。
3) 采用防水型检测设备逐层排查创造了"零触电事故"完成全部抢修的纪录。

（5）全球输出：安全方案走向世界　2023年，中国援建的中亚新能源培训中心，将这套安全体系列为必修课程。德国TÜV认证机构首次采用中国标准开展高压维修认证，其专家穆勒表示："中国方案把维修安全从经验层面提升到了科学体系。"

从被动防护到主动预防，中国构建的新能源汽车动力蓄电池维修安全体系，正在改写全球行业安全范式。正如应急管理部专家所言："每一条安全规范背后，都是对生命的敬畏。中国在这领域的探索，为全球新能源产业可持续发展筑牢了底线。"

学习单元 4.2　整车热管理系统故障诊断与排除

情境导入

整车热管理系统故障诊断与排除

一辆吉利帝豪 EV450 纯电动汽车，客户反映启动车辆后，车辆无法行驶。经维修技师上电查看发现，READY 指示灯没有点亮，蓄电池充电警告灯点亮，系统故障警告灯点亮。经过维修技师诊断，确认是 ER05 主继电器开关故障，更换 ER05 主继电器后故障现象消失，车辆可以正常行驶。

故障原因分析

整车热管理系统分为驾驶室热管理、BMS 回路热管理、电驱系统回路热管理三个部分。动力冷却系统的作用是对动力蓄电池、电机、控制器及充电机等车辆关键部件进行冷却或加热，使其保持在适当工作温度范围内。冷却或加热性能直接影响零部件的性能表现，对于提升动力经济性有着重要意义。

电驱系统回路热管理：电驱系统回路热管理主要包括电机控制器/（DC/DC）、充电机以及电机冷却；散热部件的进水顺序为散热器出水—电机控制器/（DC/DC）—充电机—电机，电机流出的较高温度冷却液通过散热器与空气的热交换降温，经过降温的冷却液再流经散热部件，达到冷却的目的。

BMS 回路热管理控制策略是：车辆在交流充电、直流充电、智能充电、行车过程中（包括车速为 0）都可以启动热管理对动力蓄电池加热或冷却；在冷却系统中，BMS 根据单节电池最高温度（下面简称电池最高温度）发送热管理控制信号，包括"冷却匀热"和"关闭"；在加热系统中，BMS 根据单节电池最低温度（下面简称电池最低温度）发送热管理控制信号，包括"加热匀热"和"关闭"；快充及慢充：VCU 直接转发 BMS 的热管理请求；行车：行车状态下，VCU 接收到 BMS 发送的加热需求后，需要根据当前动力蓄电池温度、暖风状态、车速等条件进行再次逻辑判断，从而发送不同热管理请求至 AC 控制器；车辆处于 ON 档，非充电状态下时，当动力蓄电池单体温度超过上限值 55℃，车辆不进行动力蓄电池冷却。

整车热管理系统出现故障，根据故障现象、故障码及数据流判断是整车热管理系统出现故障，还是整车热管理其中的一个系统出现故障，整车热管理系统不工作，找出整车热管理系统共同点，比如主继电器如果出现故障，整车热管理系统不能工作，通过冷却系统电路图可以分析出，如图 4-2-1 和图 4-2-2 所示。

通过冷却系统电路图可以看出，VCU 控制主继电器工作，如果主继电器出现故障，车辆无法上高压电，因驱动电机和动力蓄电池等一些冷却高压部件在工作过程中无法冷却，高压部件冷却不到易发生安全故障，这时 VCU 不允许上高压电，并将检测到的故障报给 BCM，BCM 会将故障显示到仪表上。整车热管理系统故障点分析如图 4-2-3 所示。

故障诊断流程

当整车热管理系统出现故障时，一般遵循图 4-2-4 所示的故障诊断流程进行排除。吉利帝豪 EV450 纯电动汽车发生整车热管理系统故障时，车辆无法上高压电，经与客户沟通，再进行故障确认，整车热管理系统故障诊断流程应该从共性 ER05 主继电器、VCU 等方面进行故障分析。

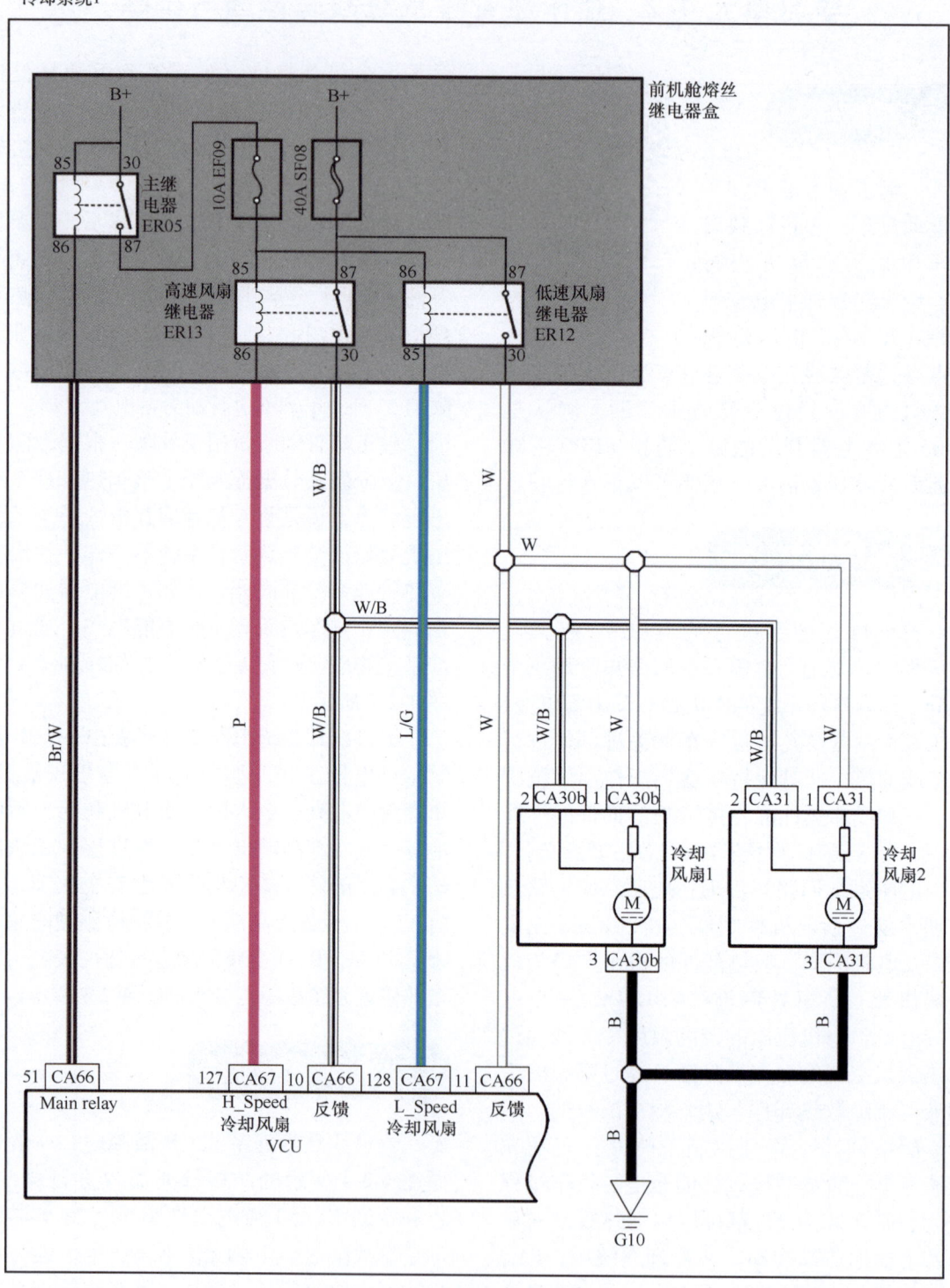

图 4-2-1　热管理冷却系统电路图（一）

学习情境 4　整车控制系统故障诊断与排除

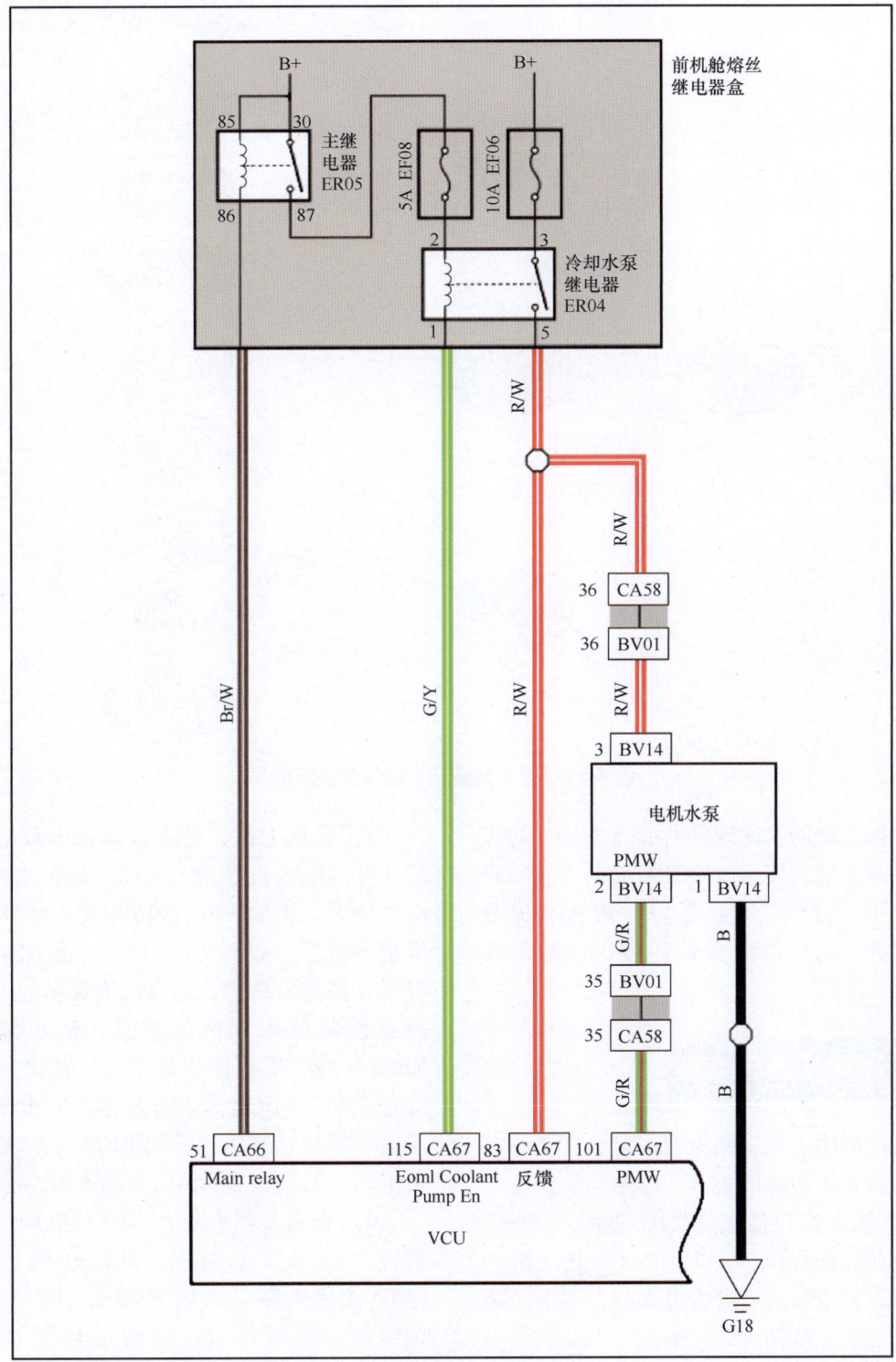

图 4-2-2　热管理冷却系统电路图（二）

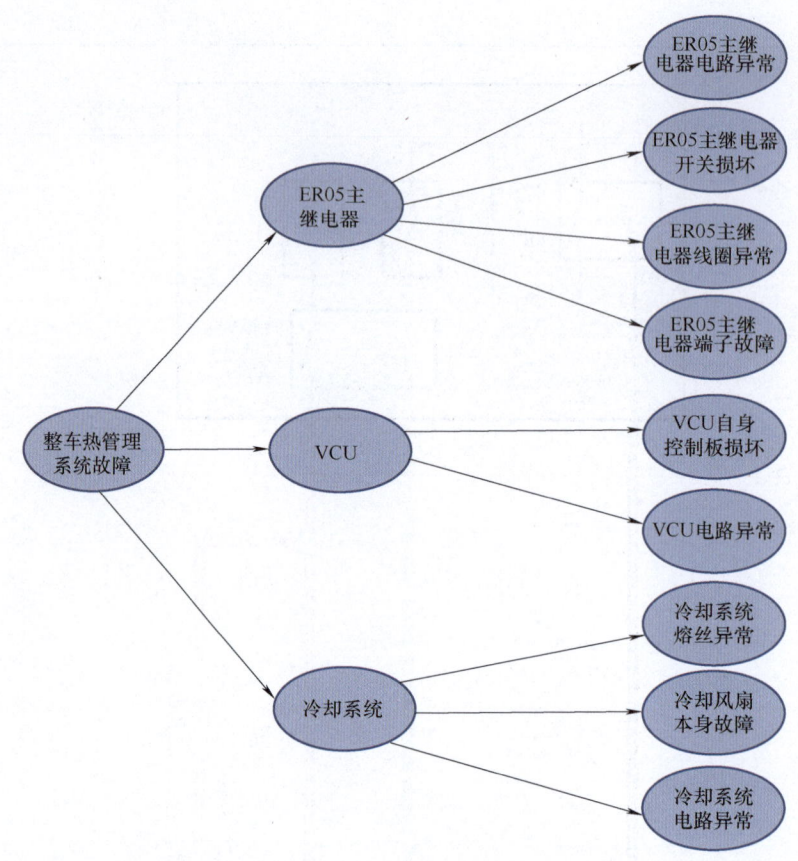

图 4-2-3　整车热管理系统故障点分析

根据客户的描述现场的故障再现，初步分析故障位置，使用故障诊断仪检查故障码和数据流，分析、判断故障位置，通过分析、判断，制订故障维修流程，进行故障检测。

故障诊断与修复

下面利用上述诊断流程，完成情境导入中热管理系统故障的检测、诊断与修复。

1）根据客户描述的故障现象，检查组合仪表的故障提示，发现 READY 指示灯没有点亮，蓄电池充电警告灯点亮，系统故障警告灯点亮，如图 4-2-5 所示。

2）关闭点火开关，将故障诊断仪与车辆 OBD Ⅱ 诊断口连接。

3）车辆上电，使用故障诊断仪对帝豪 EV450 纯电动汽车进行 VCU 故障码和数据流的读取，读取 VCU 故障码为 P1C0852 主继电器故障，如图 4-2-6 所示。数据流读取高压互锁信号故障，通过仪表显示的信息和故障诊断仪所读取的信息，初步判断为 ER05 主继电器可能出现故障，故障部位可能是 ER05 主继电器本身及电路，由简入难的故障诊断思路，先检测 ER05 主继电器供电电路，然后检查 ER05 主继电器本身。

4）查阅吉利帝豪 EV450 纯电动汽车热管理冷却系统电路图，确定故障范围为 ER05 主继电器自身及其相关电路、熔丝、继电器、插接器等，根据故障范围找到 ER05 主继电器供电电路，供电电路为 B+至 85、30 号端子，如图 4-2-1 所示。

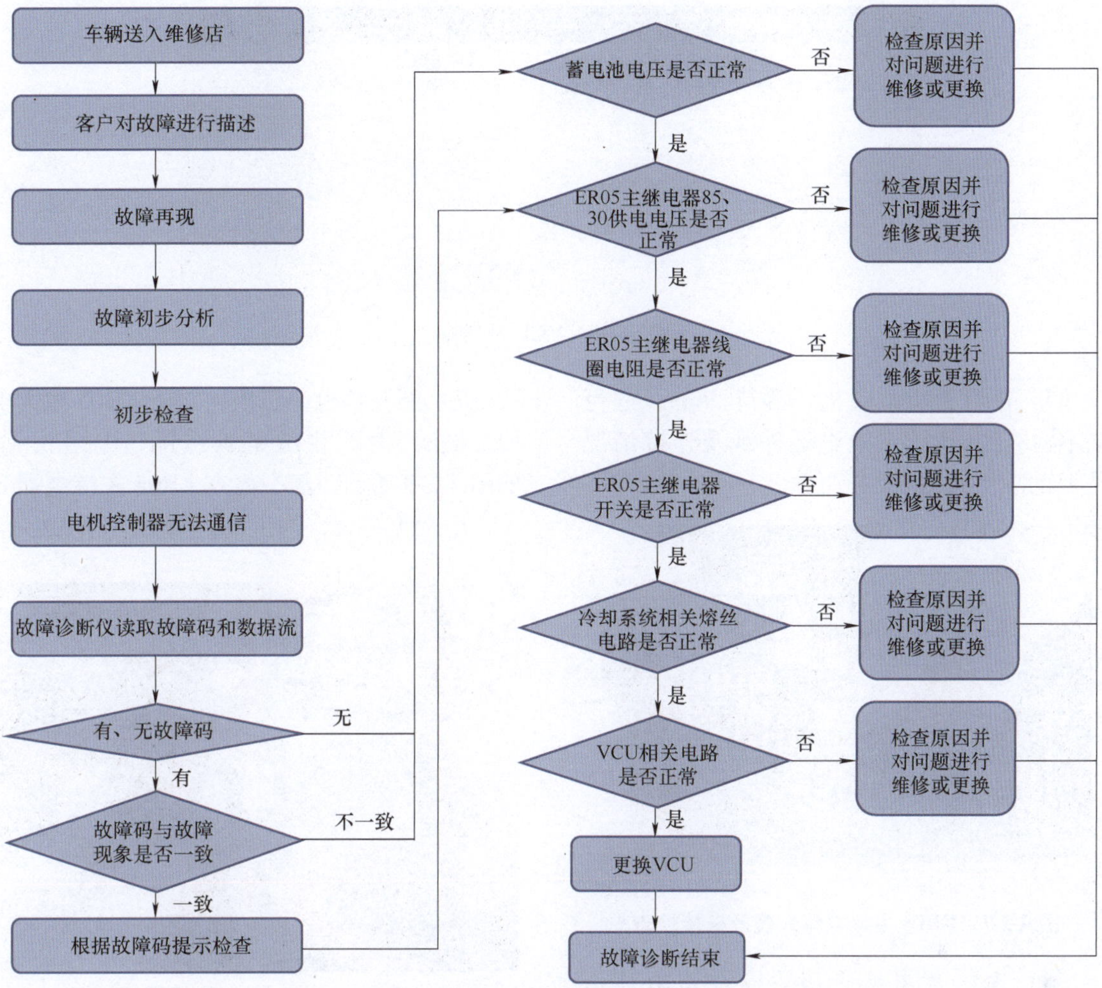

图 4-2-4 热管理系统故障诊断流程

图 4-2-5 整车热管理系统故障确认

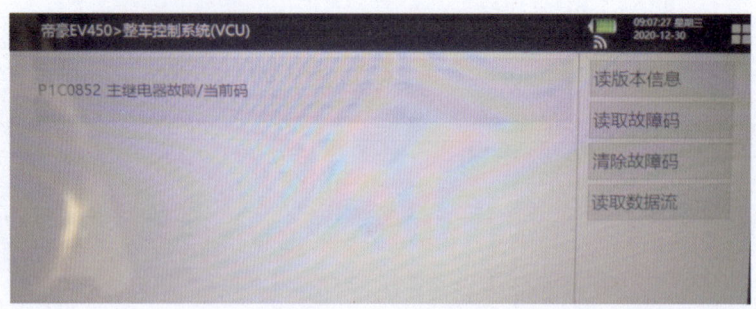

图 4-2-6　VCU 故障码

5）断开蓄电池负极，等待 5min，进行基本检查，ER05 主继电器外观及连接情况是否正常，如图 4-2-7 所示。

图 4-2-7　ER05 主继电器外观及连接检查

6）连接蓄电池负极，检查蓄电池电压，检查 ER05 主继电器供电电路，使用万用表检查 85、30 号端子供电电压为蓄电池电压，电压正常，如图 4-2-8 所示。

图 4-2-8　ER05 主继电器供电电路检查

7）断开蓄电池负极，拔下 ER05 主继电器，检测 ER05 主继电器线圈，电阻正常，如图 4-2-9 所示，静态检查 ER05 主继电器开关，电阻无穷大，为正常，如图 4-2-10 所示。

图 4-2-9　ER05 主继电器线圈检测

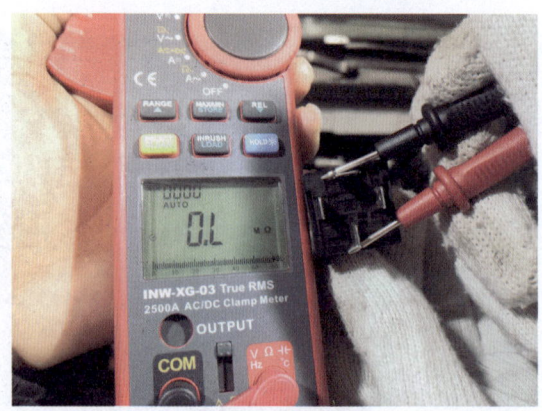

图 4-2-10　ER05 主继电器开关检查

8）动态检查 ER05 主继电器开关，将 ER05 主继电器 85 号端子与 86 号端子通电，检测开关电阻，标准值小于 1Ω，实测值大于 1Ω，如图 4-2-11 所示，根据检测结果判断 ER05 主继电器开关故障，更换 ER05 主继电器。

实测值小于 1Ω，如图 4-2-12 所示，正常。

图 4-2-12　开关电阻检测

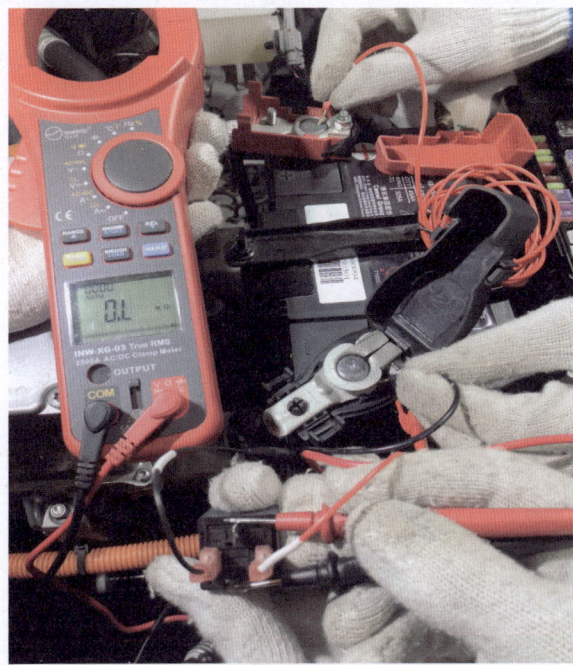

图 4-2-11　动态检查 ER05 主继电器开关

9）将 ER05 主继电器 85 号端子与 86 号端子通电，检测开关电阻，标准值小于 1Ω，

10）连接 ER05 主继电器，连接蓄电池负极。

11）车辆上电，使用故障诊断仪对帝豪 EV450 纯电动汽车进行故障码和数据流的读取，整车控制系统显示无故障码，如图 4-2-13 所示，确认故障已排除。

图 4-2-13　整车控制系统显示无故障码

故障案例分析

由吉利帝豪 EV450 纯电动汽车热管理冷却系统电路图（图 4-2-1 和图 4-2-2）可以分析出，ER05 主继电器由 VCU 控制工作，ER05 主继电器主要给冷却风扇、冷却水泵等元器件供电，ER05 主继电器出现故障车辆无法得到冷却，高压部件无法冷却易发生安全故障，这时 VCU 不允许上高压电，并将检测到的故障报给 BCM，BCM 会将故障显示到仪表上。

学习小结

1. 吉利帝豪 EV450 纯电动汽车工作过程中会产生热量，热管理系统通过冷却系统进行循环，带走汽车部件工作过程中产生的热量。

2. 整车热管理系统出现故障，根据故障现象、故障码及数据流，判断是整车热管理系统故障，还是整车热管理其中的一个系统出现故障，整车热管理系统不工作，找出整车热管理系统共同点，比如主继电器如果出现故障，整车热管理系统不能工作。

3. ER05 主继电器主要给冷却风扇、冷却水泵等元器件供电，ER05 主继电器出现故障，车辆无法得到冷却，高压部件无法冷却易发生安全故障。

4. ER05 主继电器检测时，需要进行静态检测和动态检测。

课外小故事

晶圆破壁·芯擎山河——比亚迪 IGBT 的十年突围战

2010 年前，中国新能源汽车 IGBT（绝缘栅双极型晶体管）市场 90% 依赖进口，单颗芯片价格高达 200 美元。某自主品牌因海外断供被迫停产，交车延期赔付超 3 亿元。"没有自己的 IGBT，新能源车就像在别人的地基上盖楼。"比亚迪总裁王传福痛心疾首。

（1）八年磨一剑：从实验室到量产线　2012 年，比亚迪组建百人攻坚团队。

1）材料突破：在宁波建立 6in 晶圆生产线，攻克硅基 IGBT 使用寿命短难题。

2）工艺创新：独创"沟槽栅+场终止"技术，使导通损耗降低 20%。

3）测试验证：累计进行 300 万次开关测试，远超行业标准。

2018 年，首款车规级 IGBT4.0 芯片量产，性能对标英飞凌第七代产品。

（2）极限挑战：新疆吐鲁番高温测试　2020 年 7 月，工程师团队在 50℃ 地表温度下：

1）连续工作 72h 记录数据。

2）发现高温工况下栅极氧化层缺陷。

3）改进封装材料配方，使工作温度上限提升至 175℃。

（3）产业赋能：构建自主供应链　2021 年建成长沙 IGBT 产业园，实现：

1）晶圆制造—芯片设计—模块封装全链条自主。

2）成本较进口产品降低 40%。

3)产能满足 200 万辆新能源车需求。

(4)全球竞合:从跟跑到并跑 2023 年,比亚迪 IGBT 开始供货欧洲车企,德国博世主动寻求专利交叉许可。行业数据显示,中国 IGBT 市场占有率从 2015 年的 5% 提升至 2023 年的 35%。

从被迫采购到反向输出,比亚迪 IGBT 的逆袭印证了"核心技术靠化缘是要不来的"。正如项目总工李柯所言:"我们不仅打破了垄断,更在部分领域建立了自己的技术标准。"这场持续 10 年的攻坚战证明:在新能源汽车核心零部件领域,中国制造正在完成从"国产替代"到"全球领先"的历史跨越。

学习单元 4.3　高压互锁故障诊断与排除

情境导入

高压互锁故障诊断与排除

一辆吉利帝豪 EV450 纯电动汽车，客户反映启动车辆后，车辆无法行驶。经维修技师上电查看发现，READY 指示灯没有点亮，蓄电池充电警告灯点亮，系统故障警告灯点亮。经过维修技师诊断，确认是 VCU 与 PTC（正的温度系数）加热控制器之间的高压互锁电路断路故障，维修后故障现象消失，车辆可以正常行驶。

故障原因分析

高压互锁是指通过使用低压信号来检查电动汽车上所有与高压母线相连的各分路，包括整个动力蓄电池系统导线、插接器、电机控制器、高压盒及保护盖等系统回路的电气连接完整性。低压信号沿着闭合的低压回路传递，低压信号中断说明某一个高压插接器有松动或者脱落。目前整车高压互锁一般由 VCU 完成检测。

从系统功能安全的角度出发，每个可能存在的风险都需要配置相应的安全技术手段予以监测，以降低风险发生的概率。从这个层面出发，高压互锁，作为电动汽车高压系统安全的一个安全措施，在电路设计中使用。电动汽车高压系统的风险点之一，是突断电，汽车失去动力。可能造成汽车失去动力的原因有几种，其中之一就是高压回路自动松脱。高压互锁可以监测到这种迹象，并在高压断电之前给 VCU 提供报警信息，预留整车控制系统采取应对措施的时间。

吉利帝豪 EV450 纯电动汽车的高压互锁分为动力蓄电池内部环路互锁、外部高压插件环路互锁。动力蓄电池内部环路互锁由 BMS 单独检测，通过 CAN 发送至整车网络由 VCU 根据故障等级进行相应操作。外部高压插件环路互锁由 VCU 检测，并根据故障等级进行相应操作，如图 4-3-1 所示。

如果高压互锁出现故障，整车是无法上高压电的，VCU 检测不到高压互锁信号，就会将整个车辆高压电断开，并将检测到的故障发送到 BCM，由 BCM 传到仪表显示故障现象。

外部高压插件环路由 VCU、电机控制器、OBC、空调压缩机和 PTC 加热控制器组成，高压互锁由 VCU 发出信号经过电机控制器、OBC、空调压缩机、PTC 加热控制器回到 VCU。如果中间哪个系统的高压互锁不正常，那么 VCU 将接收不到高压互锁信号，VCU 将全车下电，报故障，如图 4-3-2 所示。

故障诊断流程

当车辆发生高压互锁故障时，一般遵循图 4-3-3 所示的故障诊断流程进行排除。吉利帝豪 EV450 纯电动汽车高压互锁故障出现后，与客户沟通，进行故障确认，高压互锁故障诊断流程应该从 VCU 高压互锁、电机控制器高压互锁、车载充电机高压互锁、空调压缩机高压互锁、PTC 加热控制器高压互锁进行故障分析与检测。

根据客户的描述现场的故障再现，初步分析故障，使用故障诊断仪检查故障码和数据流，分析、判断故障，通过分析、判断，制订故障维修流程，进行故障检测。

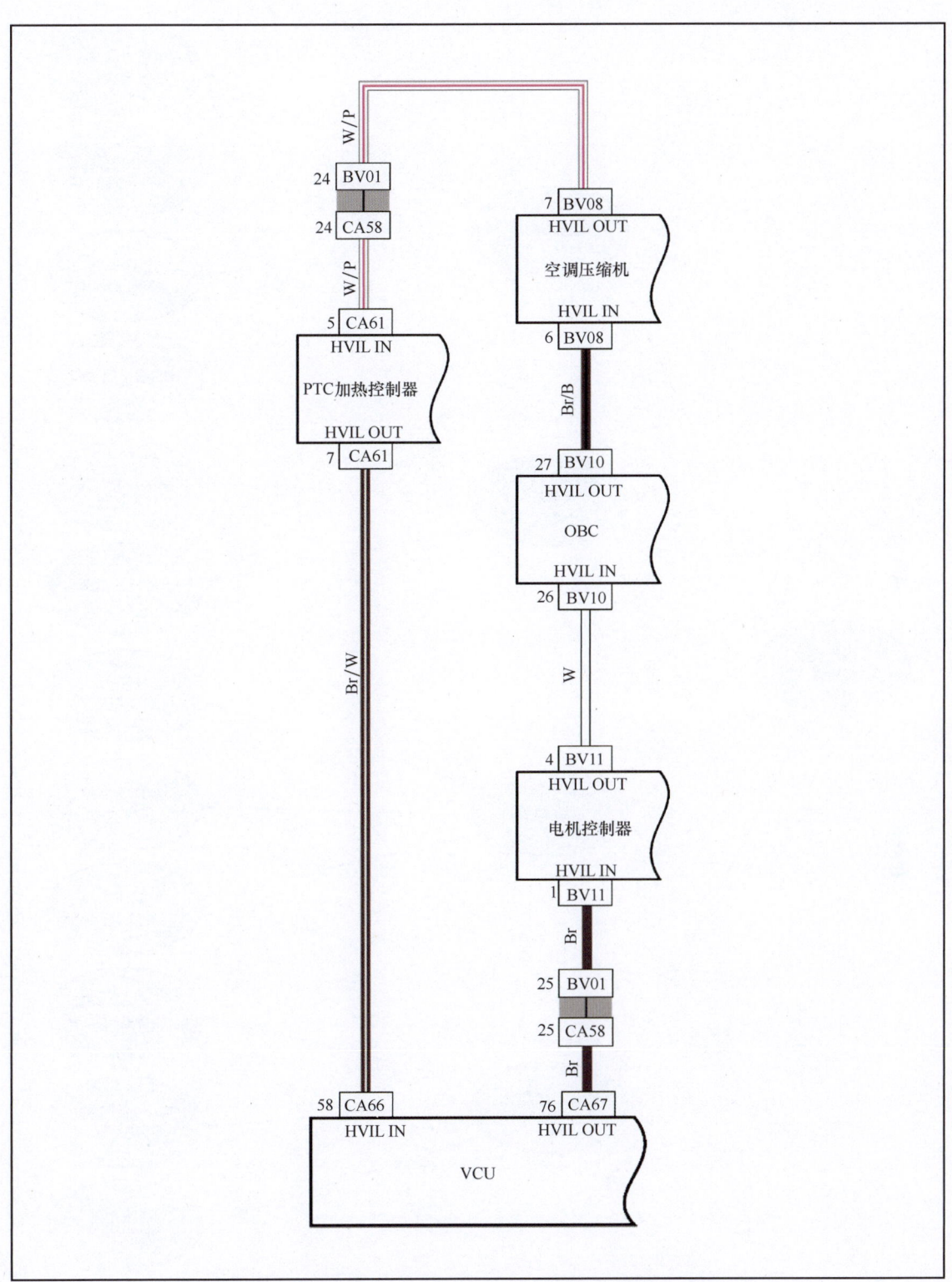

图 4-3-1　吉利帝豪 EV450 纯电动汽车高压互锁电路图

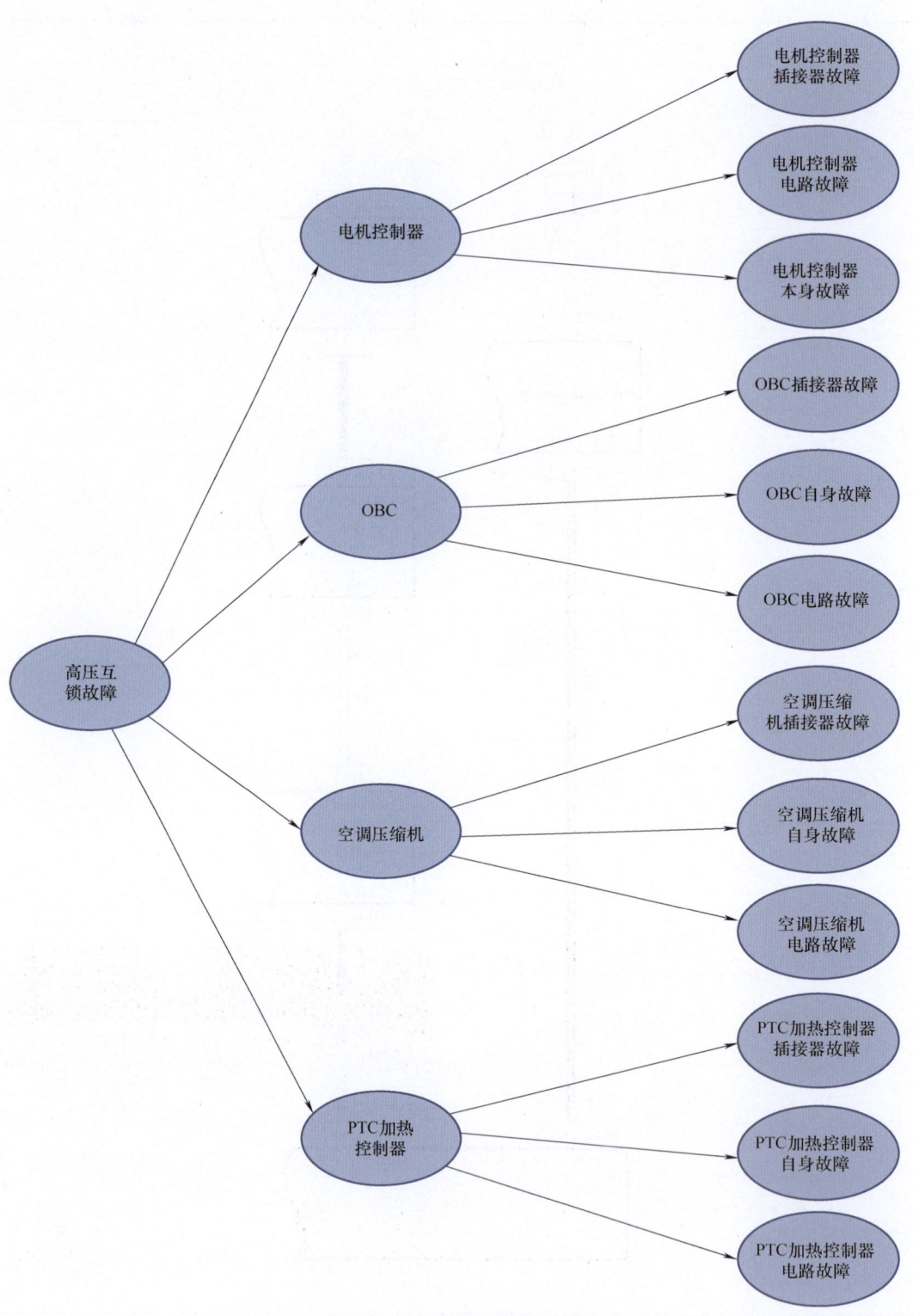

图 4-3-2　高压互锁故障点分析

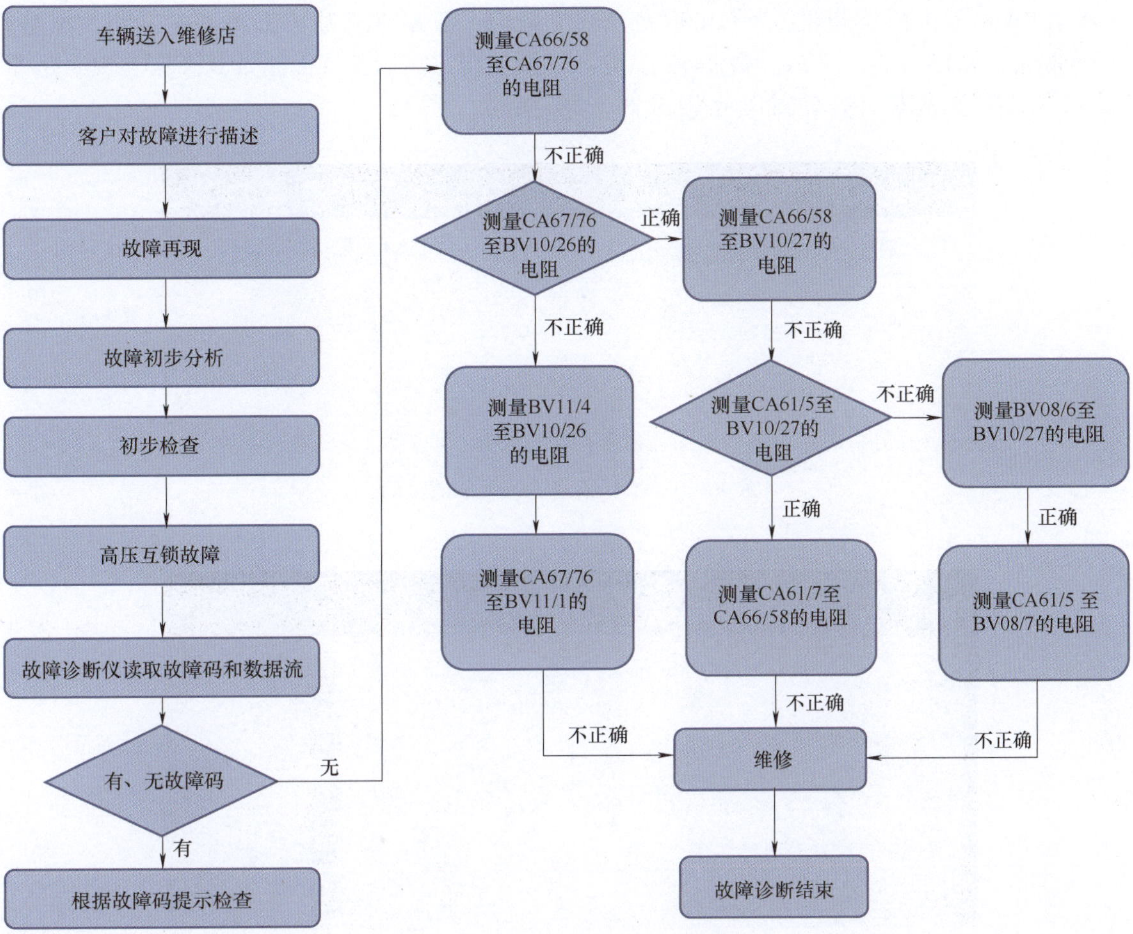

学习情境 4　整车控制系统故障诊断与排除

图 4-3-3　高压互锁故障诊断流程

故障诊断与修复

下面利用上述诊断流程，完成任务导入中高压互锁故障的检测、诊断与修复。

1）根据客户描述的故障现象，检查组合仪表的故障提示，发现 READY 指示灯没有点亮，蓄电池充电警告灯点亮，系统故障警告灯点亮，如图 4-3-4 所示。

2）关闭点火开关，将故障诊断仪与车辆 OBD Ⅱ 诊断口连接。

3）车辆上电，使用故障诊断仪对吉利帝豪 EV450 纯电动汽车进行故障码和数据

图 4-3-4　高压互锁故障现象确认

81

流的读取,读取 VCU 故障码为 P1C8E04 高压互锁 PWM 输出信号断路、P1C4096 高压互锁故障,如图 4-3-5 所示。数据流读取 VCU 高压互锁故障、整车高压互锁故障,如图 4-3-6 所示,初步判断为高压互锁出现故障,故障范围为 VCU 本身及其相关电路、插接器,高压互锁回路及其高压互锁回路插接器。

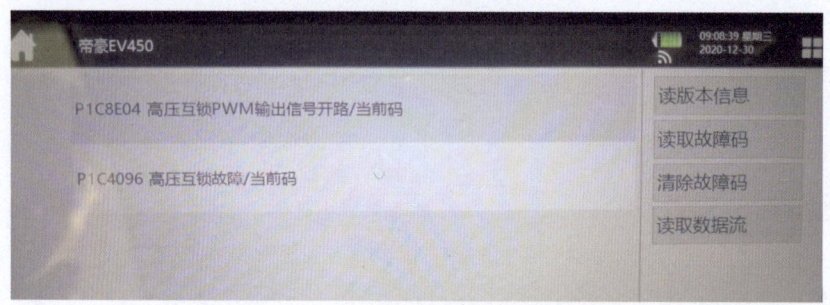

图 4-3-5　VCU 系统进行读取故障码

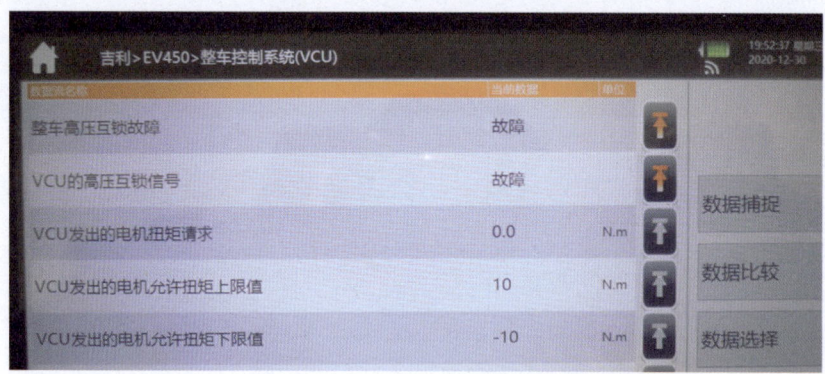

图 4-3-6　高压互锁数据流

4)断开蓄电池负极,等待 5min,进行基本检查,CA66、CA67、BV11、BV10、BV08、CA61 插接器外观及连接情况是否正常。

5)查阅吉利帝豪 EV450 纯电动汽车高压互锁电路图,检测高压回路 CA66/58 至 CA67/76 之间的电阻,阻值应小于 1Ω,实测阻值大于 1Ω,高压互锁回路发生故障,如图 4-3-7 所示。

6)查阅吉利帝豪 EV450 纯电动汽车高压互锁电路图,检测 CA67/76 至 BV10/26 之间的电阻,标准值小于 1Ω,实测值小于 1Ω,正常,如图 4-3-8 所示。检测 CA66/58 至 BV10/27 之间的电阻,标准值小于 1Ω,实测值大于 1Ω,异常,如图 4-3-9 所示。

图 4-3-7　CA66/58 至 CA67/76 电阻检测

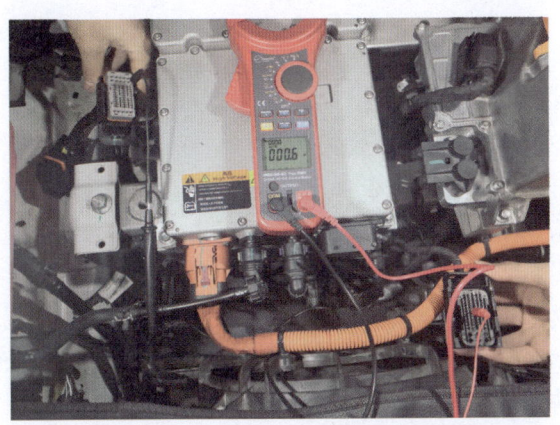

图 4-3-8　CA67/76 至 BV10/26 电阻检测

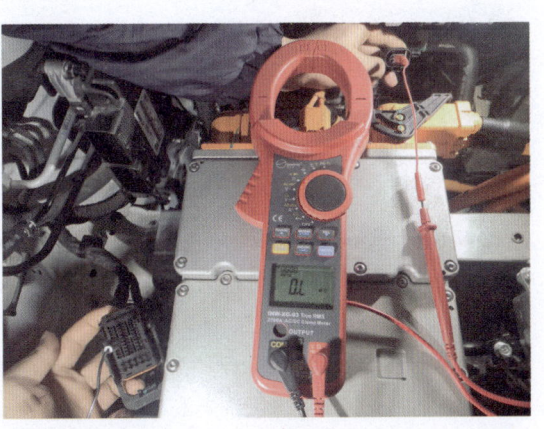

图 4-3-10　CA66/58 至 CA61/7 电阻检测

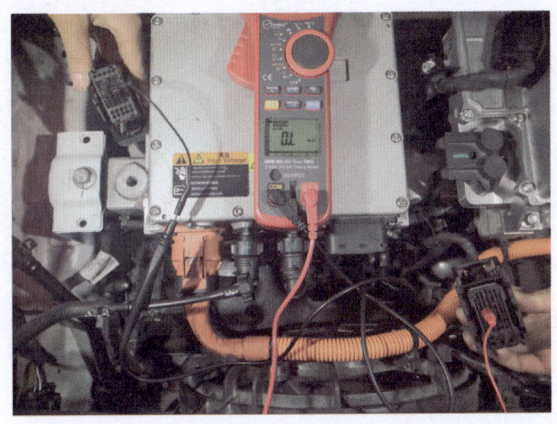

图 4-3-9　CA66/58 至 BV10/27 电阻检测

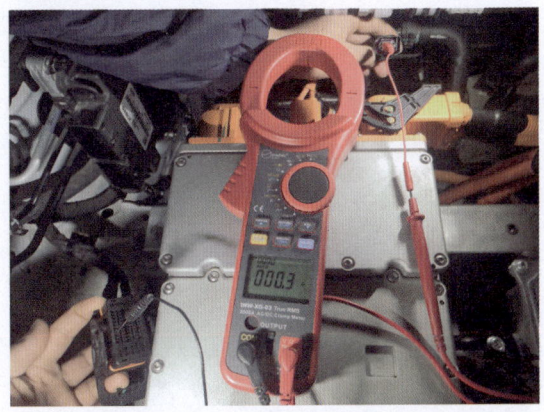

图 4-3-11　CA66/58 至 CA61/7 电阻再次检测

7）查阅电路图，检测 CA66/58 至 CA61/7 之间的电阻，标准值小于 1Ω，实测值大于 1Ω，如图 4-3-10 所示，电路故障，维修 CA66/58 至 CA61/7 之间电路，故障排除。

8）维修完成再次检测 CA66/58 至 CA61/7 之间的电阻，阻值正常，如图 4-3-11 所示。

9）连接插接器，连接蓄电池负极。

10）车辆上电，使用故障诊断仪对帝豪 EV450 纯电动汽车进行故障码和数据流的读取，VCU 显示无故障码，如图 4-2-13 所示，确认故障已排除。

故障案例分析

外部高压插件环路由 VCU、电机控制器、OBC、空调压缩机和 PTC 加热控制器组成，高压互锁由 VCU 发出信号经过电机控制器、OBC、空调压缩机、PTC 加热控制器回到 VCU。CA66/58 至 CA61/7 之间的电阻异常，VCU 无法完成高压互锁回路检测，整车控制系统认为高压互锁出现故障，全车断电，报故障。

> **学习小结**
>
> 1. 高压互锁故障，仪表上会显示蓄电池充电警告灯点亮，系统故障警告灯点亮，一般这类故障是由于高压互锁回路导致的。
> 2. 高压互锁由 VCU 发出信号经过电机控制器、OBC、空调压缩机、PTC 加热控制器回到 VCU。
> 3. 高压互锁在检测时，先检测 VCU 高压互锁电路，再检测 VCU 与 OBC 之间的高压互锁电路，判断是哪一侧出现故障，最后按系统逐个检测。
> 4. 高压互锁存在两种类型，一种是通过控制器中的低压互锁线束来检测整车高压回路；另一种是控制器端盖布置了开盖检测装置，同样可以检测整车高压回路。

> **课外小故事**
>
> **制度擎轮·规则筑道——中国新能源汽车的"制度破壁"15 年**
>
> （1）政策破冰：从补贴到体系的制度创新　2009 年，当全球对新能源汽车尚持观望态度时，中国率先实施"十城千辆"示范工程。不同于欧美单纯补贴模式，中国创造性地构建了：
>
> 1）研发端：国家 863 计划定向攻关。
> 2）消费端：牌照优惠+购置税减免。
> 3）基建端：充电桩建设纳入城市规划。
>
> 这套"三位一体"政策体系被国际能源署称为"最完整的新能源汽车制度设计"。
>
> （2）标准引领：中国规则成为世界选项　2016 年，中国独创的：
>
> 1）充电口 GB/T 标准。
> 2）动力蓄电池衰减评估方法。
> 3）车联网数据安全规范。
>
> 被东盟、中东等地区直接采用。德国汽车工业协会不得不修改其充电标准，与中国实现兼容。"过去是我们制定规则让别人遵守，现在必须考虑中国标准。"大众集团 CEO 赫伯特·迪斯公开承认。
>
> （3）监管智慧：包容审慎培育新生态　面对自动驾驶等新技术：
>
> 1）北京设立国内首个自动驾驶测试区。
> 2）上海首创"沙盒监管"制度。
> 3）深圳立法明确事故责任划分。
>
> 这种"鼓励创新+底线管控"的监管模式，使中国 L4 级自动驾驶测试里程在 2023 年达到全球总量的 62%。
>
> （4）制度输出：全球产业治理的中国声音　2022 年，中国参与制定的：
>
> 1）联合国电动汽车安全全球技术法规。
> 2）动力蓄电池碳足迹核算指南。

3）新能源汽车回收利用标准。

成为国际共识。美国智库 CSIS 报告指出："中国正在将本国产业政策经验转化为全球治理话语权。"

（5）实践验证：制度优势转化为产业优势 在 2023 年全球新能源车销量 TOP10 中，中国品牌占据 7 席。特斯拉上海工厂实现"当年开工、当年投产"，马斯克感叹："这在中国以外的地方是不可想象的。"

从政策跟随者到规则引领者，中国汽车产业用 15 年时间证明了制度自信的底气。正如工业和信息化部负责人所言："我们的制度优势不在于照搬别人，而是立足国情持续创新。"当欧美开始研究中国新能源汽车政策时，一个新时代的产业治理范式已经诞生。

学习情境 5

车身控制系统故障诊断与排除

学习目标

- 能根据仪表显示的故障现象、故障码和电路图分析故障原因。
- 能制订 BCM 供电熔丝 IF01 诊断流程。
- 能根据制订的诊断流程对 BCM 进行故障诊断。
- 能通过故障诊断仪读取故障码和数据流,并对故障码和数据流进行分析。
- 能制订 BCM CF CAN 总线诊断流程。
- 能根据制订的诊断流程对 BCM CF CAN 总线进行故障诊断。
- 能根据诊断结果判定故障点,并对故障点进行维修或更换故障元器件。

学习单元 5.1 BCM 供电不正常故障诊断与排除

情境导入

一辆吉利帝豪 EV450 纯电动汽车,客户反映启动车辆后,汽车没有任何反应,仪表上只有一个小汽车亮了。经维修技师上电查看发现 READY 指示灯没有点亮,应急灯一直闪烁,仪表上除了小汽车点亮及驻车灯点亮,其他信息没有任何显示,车外灯光可以正常点亮,仪表灯光符号正常显示。经过维修技师诊断,确认是 BCM IF01 熔丝熔断,更换 IF01 熔丝,故障现象消失,车辆可以正常行驶。

BCM 供电不正常故障诊断与排除

故障原因分析

车身控制器(简称 BCM)的功能包括电动门窗控制、中控门锁控制、遥控防盗、灯光系统控制、电动后视镜加热控制、仪表背光调节、电源分配等。

BCM 出现故障,故障现象是车辆仪表上 READY 指示灯没有点亮,应急灯一直闪烁,仪表上除了小汽车点亮及驻车灯点亮,其他信息没有任何显示,车外灯光可以正常点亮,仪表灯光符号正常显示,这种故障现象一般是 BCM 发生故障。根据故障指示灯和故障码，初步可以判断为 BCM 车内和车外灯光供电电源、BCM 电源、BCM 本身出现故障，如图 5-1-1 所示。

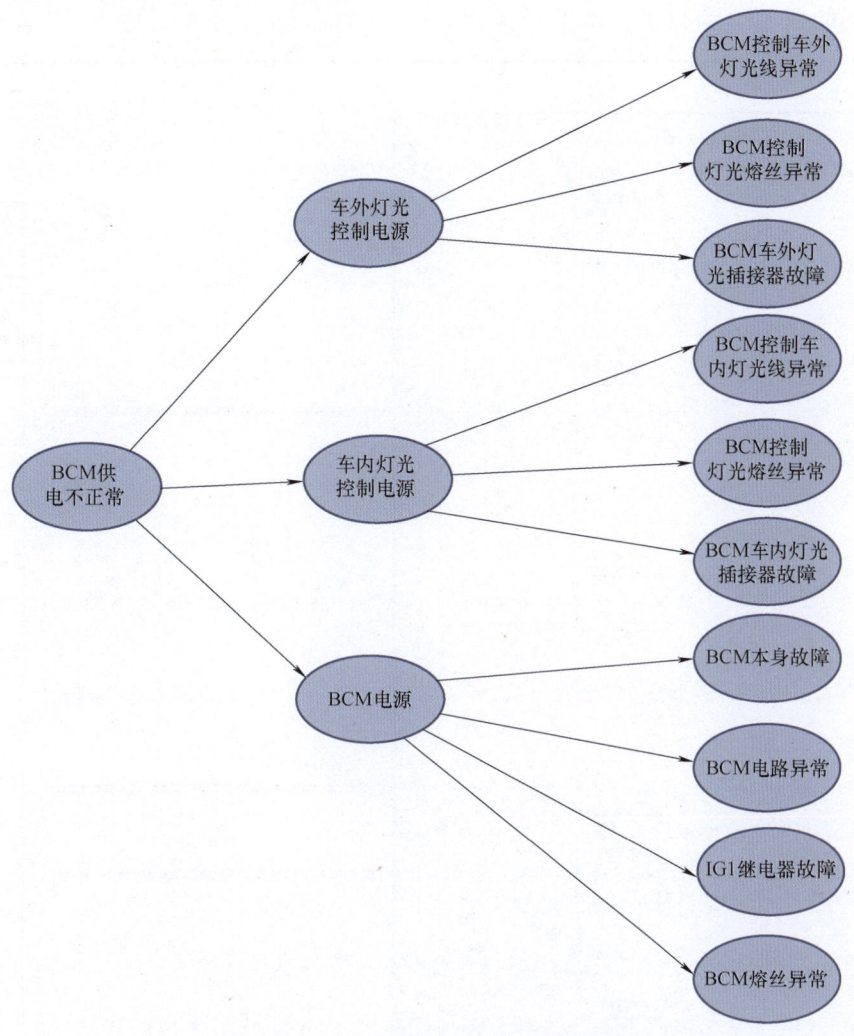

图 5-1-1　BCM 供电不正常故障点分析

车外灯光电源出现故障的根源主要是 BCM 控制板、电路和熔丝等，车外灯光控制电路是由 BCM 控制的。当车外灯光控制电路电源出现故障，BCM 会报出相对应的故障，但是车外灯光正常使用，因 BCM 没有车外灯光控制电源，那么 BCM 会使用其他系统的电源来供给车外灯光系统。

车内灯光电源出现故障的原因主要是 BCM 控制板、电路和熔丝等，车内灯光控制电路是由 BCM 控制的。当车内灯光控制电路电源出现故障，BCM 会报出相对应的故障。车内灯光控制电源与车外灯光控制电源故障现象有所区别，车外灯光控制电源故障现象是打开灯光车外灯光可以正常点亮，仪表灯光符号正常显示，但是车内灯光控制电源故障现象是不能正常点亮车外灯光，仪表灯光符号也不能正常显示。

BCM 电源及本身出现故障，车辆 READY 指示灯没有点亮，应急灯一直闪烁，仪表上除了小汽车点亮及驻车灯点亮，其他信息没有任何显示，车外灯光可以正常点亮，仪表灯光符号正常显示，但是故障现象会比

BCM 车外和车内灯光控制电源要多，故障码也有所区别。

因 BCM 的供电电路很多，本节重点讲解灯光控制电源故障，电路图截取 BCM 控制电源，如图 5-1-2 所示。

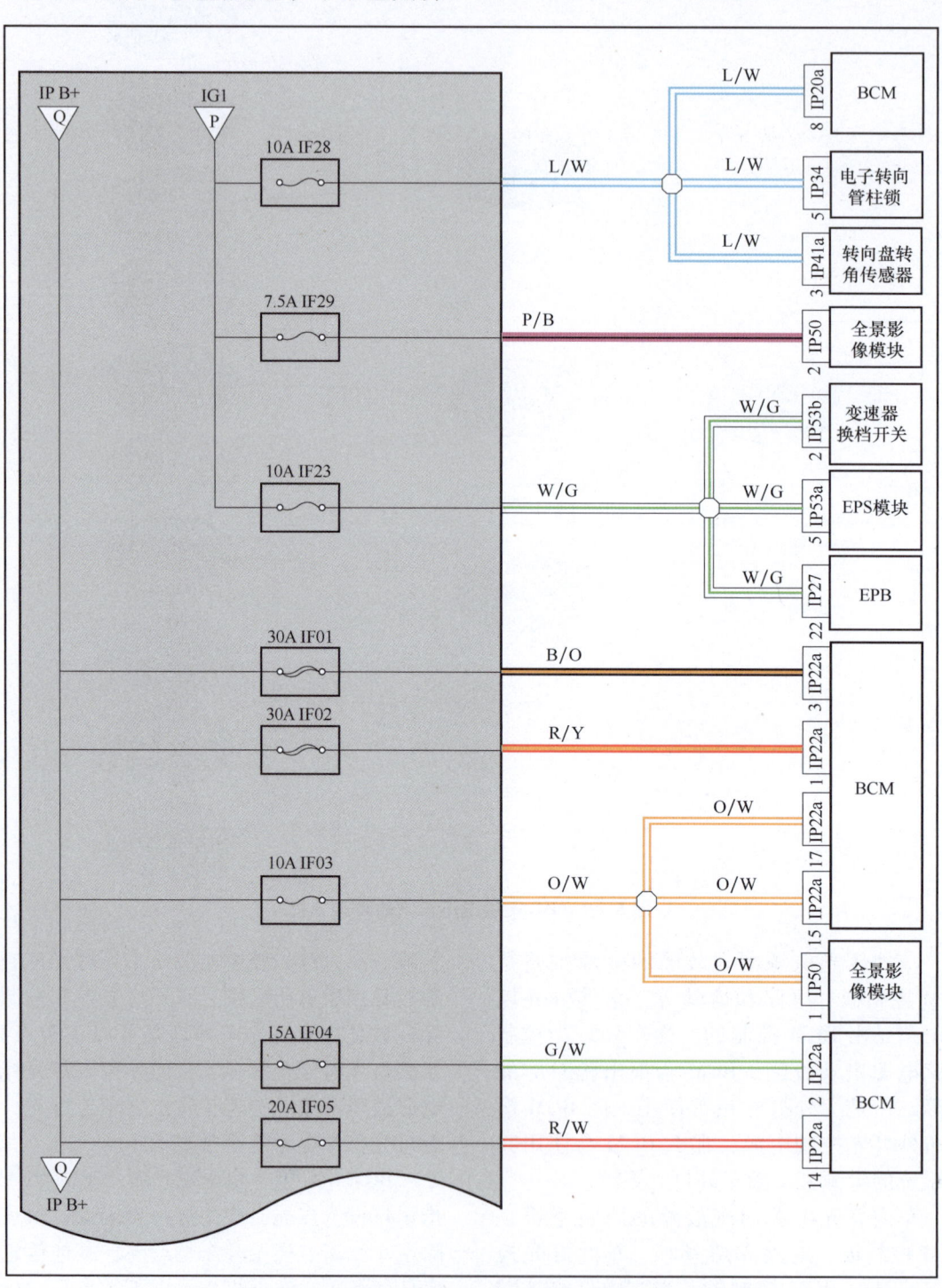

图 5-1-2　吉利帝豪 EV450 纯电动汽车部分车外灯光电路图

故障诊断流程

当车辆发生 BCM 供电不正常故障时，一般遵循图 5-1-3 所示的故障诊断流程进行排除。吉利帝豪 EV450 纯电动汽车发生 BCM 供电不正常故障时，与客户沟通后，进行故障确认，根据故障现象及故障码和数据流，BCM 供电不正常故障应该从 BCM 供电电源、搭铁、BCM 本身、熔丝、电路等方面进行故障分析。

根据客户描述的故障现象，维修技师将故障再现，初步分析故障位置，使用故障诊断仪检查故障码和数据流，分析、判断故障位置，通过分析、判断，制订故障维修流程，进行故障检测与维修。

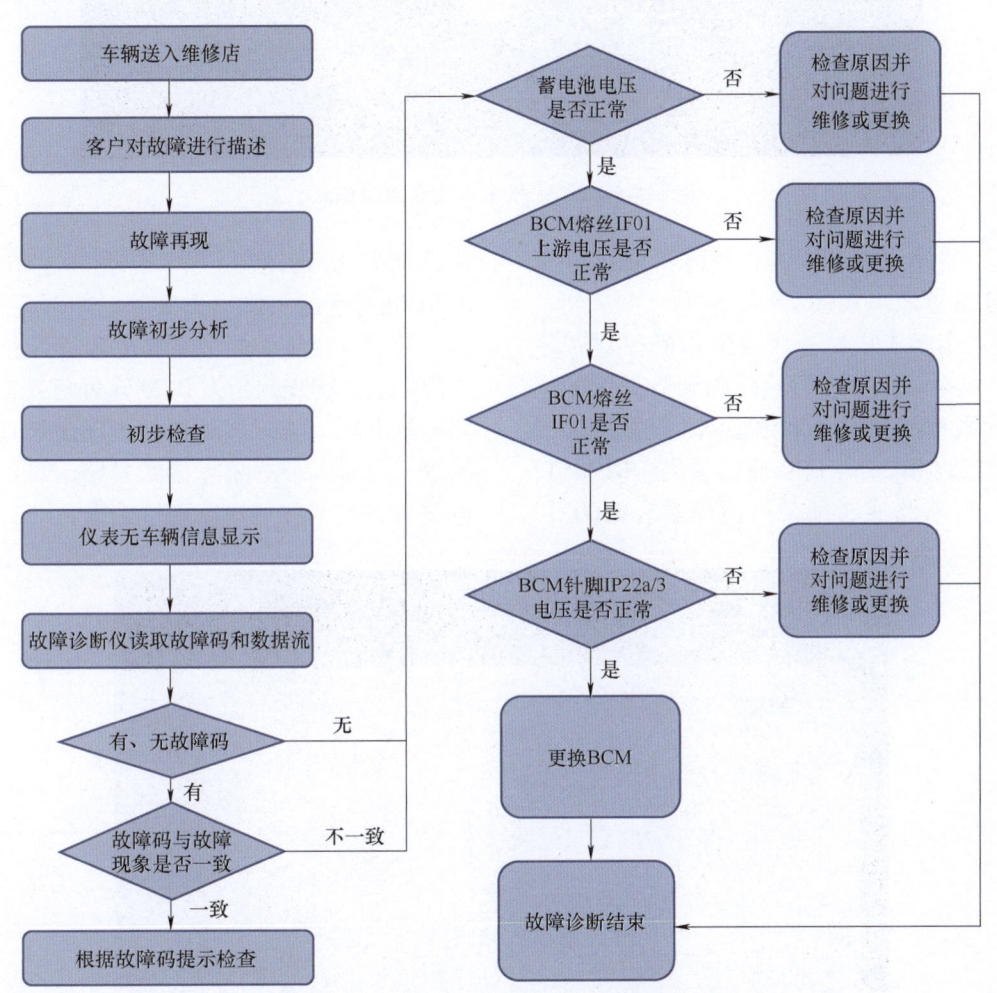

图 5-1-3　BCM 供电不正常故障诊断流程

故障诊断与修复

下面利用上述诊断流程，完成情境导入中 BCM 供电不正常故障的检测、诊断与修复。

1）根据客户描述的故障现象，检查组合仪表的故障提示，发现 READY 指示灯没有点亮，应急灯一直闪烁，仪表上除了小汽车点亮及驻车灯点亮，其他信息没有任何显示，车外灯光可以正常点亮，仪表灯光符号正常显示，如图 5-1-4 所示。

图 5-1-4　BCM 供电不正常故障确认

2）关闭点火开关，将故障诊断仪与车辆 OBD Ⅱ 诊断口连接。

3）车辆上电，使用故障诊断仪对帝豪 EV450 纯电动汽车进行故障码和数据流的读取，读取 BCM 故障码和数据流，读取故障码为 U012287 ACM 与 ESP 通信丢失、B100E13 右转向灯断路或者某个灯泡损坏、B100F13 左转向灯断路或某个灯泡损坏、B128329 IGN1 继电器控制输出无效等，如图 5-1-5 所示。通过仪表显示的信息和故障诊断仪所读取的信息，初步判断为 BCM 车外灯光控制电路可能出现故障，故障部位可能是熔丝、电路等，由简入难的故障诊断思路，可以先对 BCM 车外灯光控制电路进行检查。

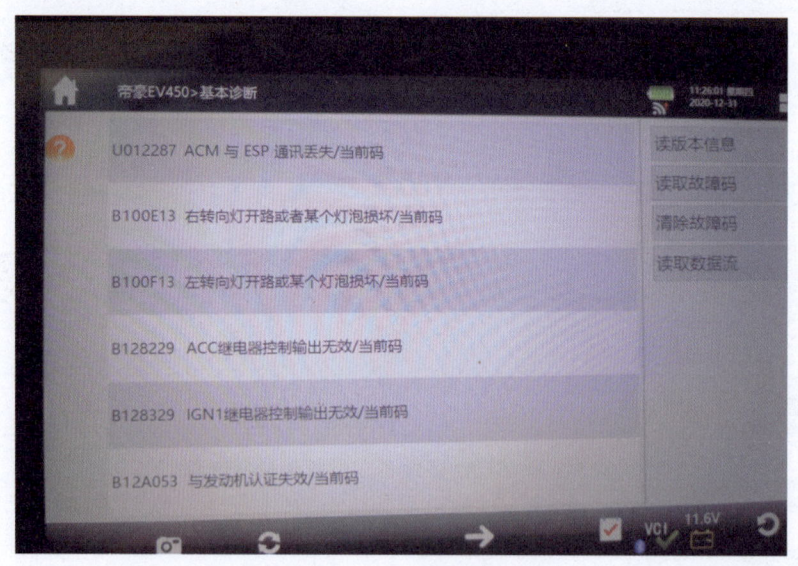

图 5-1-5　BCM 故障码读取

4）查阅吉利帝豪 EV450 纯电动汽车 BCM 车外灯光控制电路图，确定故障范围为 BCM 控制板及其相关电路、熔丝和插接器等，根据故障范围找到 BCM 车外灯光控制电路供电熔丝为 IF01，BCM 车外灯光控制电路供电电路为 B＋至 IP22a/3 号端子，如图 5-1-2 所示。

5）断开蓄电池负极，等待 5min，进行基本检查，IF01 熔丝外观及连接情况是否正常。

6）使用万用表检查 IF01 熔丝上游电压，标准电压应为蓄电池电压，实测电压为蓄电池电压，如图 5-1-6 所示。

图 5-1-6　IF01 熔丝上游电压的检查

7）检查 IF01 熔丝，拔下 IF01 熔丝，目测检查，发现熔丝熔断，如图 5-1-7 所示。使用万用表检查 IF01 熔丝通断，标准电阻小于 1Ω，实测电阻大于 1Ω，如图 5-1-8 所示，熔丝有故障，更换相同大小的熔丝。

图 5-1-7　目测检查 IF01 熔丝

8）更换 30A 的 IF01 熔丝，测量熔丝通断，电阻应小于 1Ω，如图 5-1-9 所示。安装 IF01 熔丝。

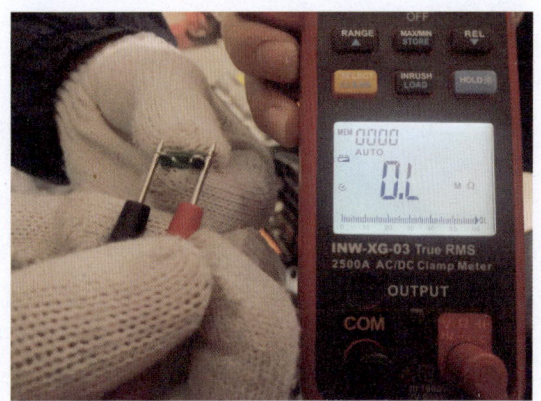

图 5-1-8　IF01 熔丝通断检查

图 5-1-9　新 IF01 熔丝通断检查

9）连接蓄电池负极。

10）车辆上电，使用故障诊断仪对帝豪 EV450 纯电动汽车进行故障码和数据流的读取，BCM 显示无故障码，确认故障已排除。

故障案例分析

由吉利帝豪 EV450 纯电动汽车 BCM 电路图可知，IF01 是车外灯光控制电源熔丝，通过 BCM 控制给车外灯光供电。IF01 熔丝出现故障，BCM 认为车外灯光控制电路电源线出现故障，车辆不允许上高压电，仪表无显示，但是 BCM 会使用其他电源为车外灯光供电。

学习小结

1. 如果 BCM 出现故障,故障现象是车辆仪表上 READY 指示灯没有点亮,应急灯一直闪烁,仪表上除了小汽车点亮及驻车灯点亮,其他信息没有任何显示,车外灯光可以正常点亮,仪表灯光符号正常显示。根据故障指示灯和故障码,初步可以判断为 BCM 车内和车外灯光供电电源、BCM 电源、BCM 本身出现故障。

2. 车外灯光控制电路由 BCM 控制,当车外灯光控制电路电源出现故障,BCM 会报出相对应的故障,但是车外灯光正常使用。因 BCM 没有车外灯光控制电源,那么 BCM 会使用其他系统的电源来供给车外灯光系统。

3. 如果 BCM 电源及本身出现故障,车辆 READY 指示灯没有点亮,应急灯一直闪烁,仪表上除了小汽车点亮及驻车灯点亮,其他信息没有任何显示,车外灯光可以正常点亮,仪表灯光符号正常显示,但是故障现象会比 BCM 车外和车内灯光控制电源要多,故障码也有所区别。

课外小故事

代码长征——中国车企的智能驾驶突围

(1) 技术困局:被垄断的自动驾驶生态　2020 年前,全球 L4 级自动驾驶核心技术被 Waymo、Cruise 等美国企业垄断,中国车企需支付高昂技术授权费。某自主品牌因使用海外系统,导致数据全部回传境外,存在严重安全隐患。"没有自主可控的自动驾驶技术,智能汽车就像戴着别人的大脑。"某车企 CTO 如此形容。

(2) 破局之战:全栈自研技术体系　2021 年,某中国车企启动"昆仑计划",投入百亿研发资金:

1) 感知突破:研发 4D 毫米波雷达,探测精度提升至 0.01°。
2) 算力飞跃:自研 AI 芯片,算力达 508TOPS,功耗降低 40%。
3) 算法创新:首创"时空联合规划算法",决策响应时间缩短至 80ms。

(3) 极端测试:青藏高原验证可靠性　2022 年 8 月,工程师团队在海拔 5200m 的唐古拉山口:

1) 完成全球首次高寒缺氧环境 L4 级自动驾驶测试。
2) 解决低温环境下传感器失效难题。
3) 开发抗高原反应的控制系统。

创造了连续 300km "零接管"的纪录。

(4) 落地应用:重塑城市交通格局　2023 年,该技术率先在雄安新区投入运营:

1) 建成全球首个"车路云一体化"智能交通系统。
2) 自动驾驶出租车日均接单量突破 1 万次。
3) 交通事故率同比下降 72%。

新加坡交通部长率团考察后表示:"这代表着未来城市交通的中国方案。"

（5）全球竞合：技术标准输出　2024年，该企业：
1）主导制定《自动驾驶系统预期功能安全》国际标准。
2）向德国车企授权感知算法专利。
3）自动驾驶套件装车量进入全球前三。

《波士顿咨询报告》显示：中国L4级自动驾驶技术成熟度指数首次超越美国。

从技术追随到标准引领，这场自动驾驶攻坚战彰显了中国汽车人的创新智慧。正如项目总工程师所说："真正的创新不是弯道超车，而是开辟新赛道。"当转向盘后不再需要驾驶人时，中国汽车产业已经站在了全球智能化的最前沿。

学习单元 5.2　BCM 无法通信故障诊断与排除

情境导入

一辆吉利几何 G6 纯电动汽车，客户反映启动车辆后，仪表显示白屏，车辆无法行驶。经维修技师上电查看发现按动钥匙可以解锁车辆，开门即 ACC，踩下制动踏板车辆处于 ON 档，仪表白屏，多媒体屏正常点亮，空调系统可以正常工作，踩下制动踏板无法挂上 D 位或 R 位，运行准备就绪指示灯 READY 无法点亮，刮水器一直自动工作无法关闭。经过维修技师诊断，确认是 BCM 的 CF CAN 总线通信故障，更换 CF CAN 总线后故障现象消失，车辆可以正常行驶。

网关出现故障，网关无法正常工作，网关与 BCM 通信无法进行，BCM 接收不到网关的信息，同时网关也接收不到 BCM 的信息，这时网关会将 BCM 的问题通信给 VCU，VCU 就会控制高压系统无法上高压电，BCM 会将故障显示到仪表。

BCM 的 CF CAN 总线出现故障，BCM 本身正常工作，但是 BCM 无法与热管理控制模块、座椅模块、低速报警控制器、网关等系统进行通信，BCM 是很多低压控制 ECU 的枢纽，如果 BCM 的 CF CAN 总线出现故障，网关就无法接收到 BCM 的信号，网关接收不到信号就无法下达关于 BCM 的相关指令。BCM 的 CF CAN 总线发生故障时，BCM 无法接收和传递给其他系统指令。

故障原因分析

按动钥匙可以解锁车辆，开门即 ACC，踩下制动踏板车辆处于 ON 档，仪表白屏，多媒体屏正常点亮，空调系统可以正常工作，踩下制动踏板无法挂上 D 位或 R 位，运行准备就绪指示灯 READY 无法点亮，刮水器一直自动工作无法关闭，根据故障现象及故障码和数据流初步可以判断为 BCM 本身及其熔丝、继电器、电路出现故障，BCM 出现故障。如果是电源或 CF CAN 总线通信故障，BCM 无法与网关进行通信，BCM 无法进入读取故障码和数据流，需要在网关中读取 BCM 故障码和数据流；如果不是电源或 CF CAN 线故障，那么 VCU 就可以读取故障码和数据流。BCM 电路图如图 5-2-1 所示。

BCM 无法与网关通信故障主要有 BCM 本身、网关和电源等故障，如图 5-2-2 所示。

故障诊断流程

当车辆发生 BCM 与网关无法通信故障时，一般遵循图 5-2-3 所示的故障诊断流程进行排除。吉利几何 G6 纯电动汽车发生 BCM 与网关无法通信故障时，与客户沟通后，进行故障码和数据流的读取，确认故障范围，BCM 与网关无法通信故障诊断流程应该从 BCM 电源、CF CAN 总线、搭铁、BCM 本身等方面进行故障分析。

根据客户的描述现象，对客户车辆进行的故障再现，初步要分析故障位置，使用故障诊断仪检查故障码和数据流，初步判断故障范围，分析、判断故障位置，通过分析、判断制订 BCM 与 VCU 无法通信的故障维修诊断流程，根据制订的诊断流程进行 BCM 与 VCU 无法通信的故障检测，最终判断故障位置，进行维修或更换，维修后要对故障点进行复查。

学习情境 5　车身控制系统故障诊断与排除

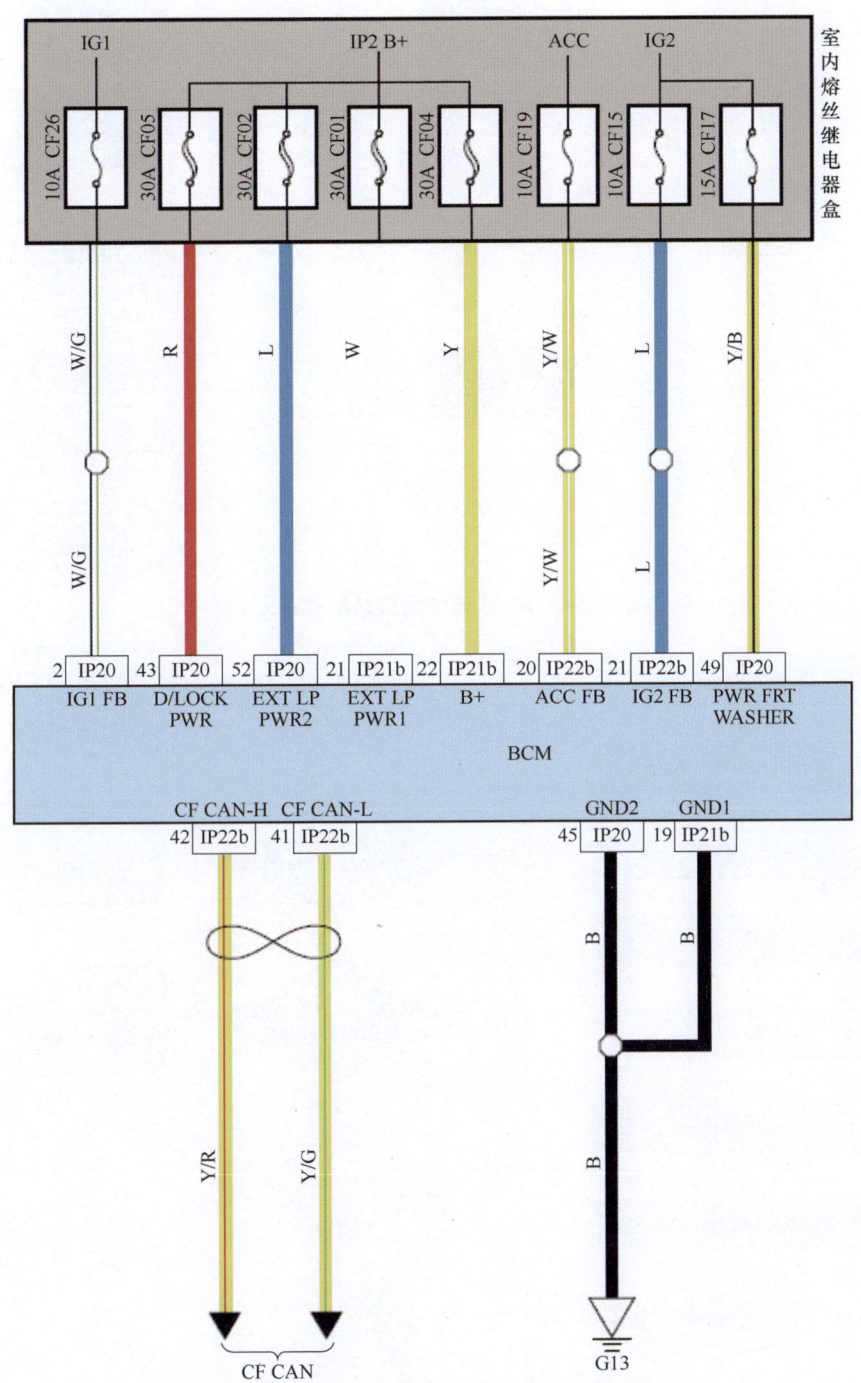

图 5-2-1　吉利几何 G6 纯电动汽车 BCM 电路图

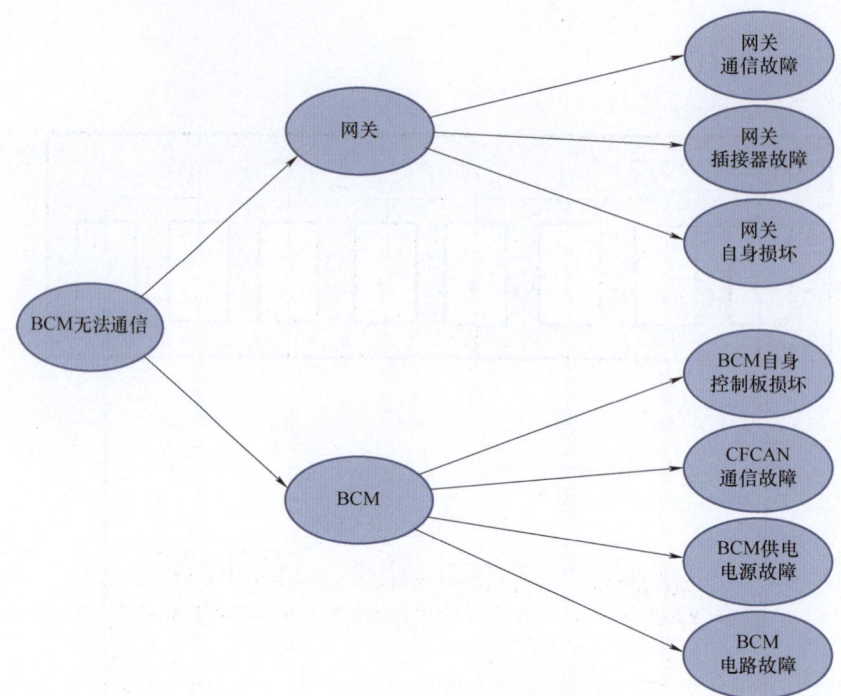

图 5-2-2　BCM 无法通信的故障点分析

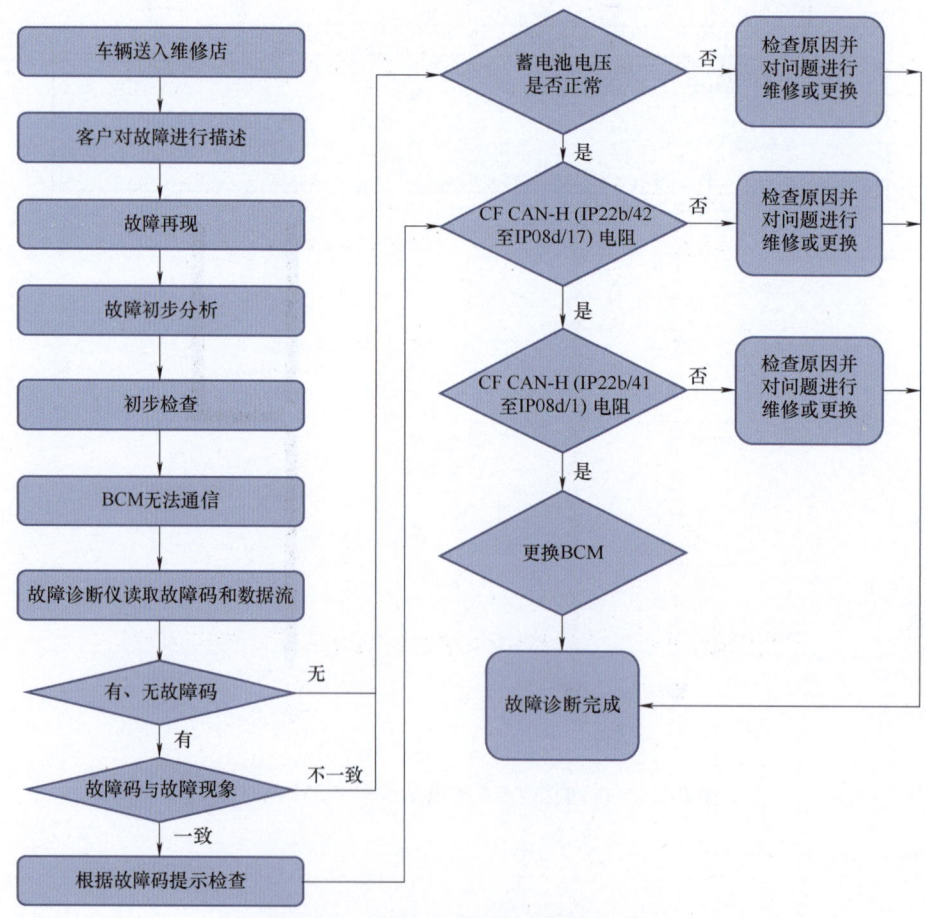

图 5-2-3　BCM 无法通信故障诊断流程

故障诊断与修复

下面利用上述诊断流程，完成情境导入中 VCU 无法通信故障的检测、诊断与修复。

1）根据客户描述的故障现象，检查组合仪表的故障提示，知道钥匙可以解锁车辆，开门即 ACC，踩下制动踏板车辆处于 ON 档，仪表白屏，多媒体屏正常点亮，空调系统可以正常工作，踩下制动踏板无法挂上 D 位或 R 位，运行准备就绪指示灯 READY 无法点亮，刮水器一直自动工作无法关闭，如图 5-2-4 所示。

2）关闭点火开关，将故障诊断仪与车辆 OBDⅡ诊断口连接。

3）车辆上电，使用故障诊断仪对吉利几何 G6 进行故障码和数据流的读取，读取 BCM 故障码，无法进入系统读取。对网关系统进行读取故障码和数据流，读取故障码为 U014087 BCM 节点丢失，如图 5-2-5 所示。通过仪表显示的信息和故障诊断仪所读取的信息，初步判断为 BCM 的 CF CAN 总线可能出现故障。

图 5-2-4　BCM 与网关无法通信故障确认

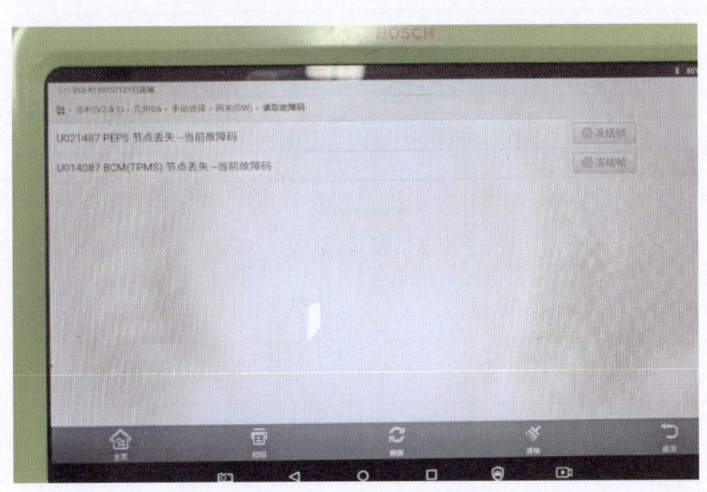

图 5-2-5　VCU 无法进入

4）查阅吉利几何 G6 纯电动汽车 BCM 电路图，确定故障范围为 BCM 自身及其相关电路、插接器等，根据故障范围找到 BCM 的 CF CAN 总线是 IP22b/41、IP22b/42，网关端 CA172/1、CA172/11，如图 5-2-6 所示。

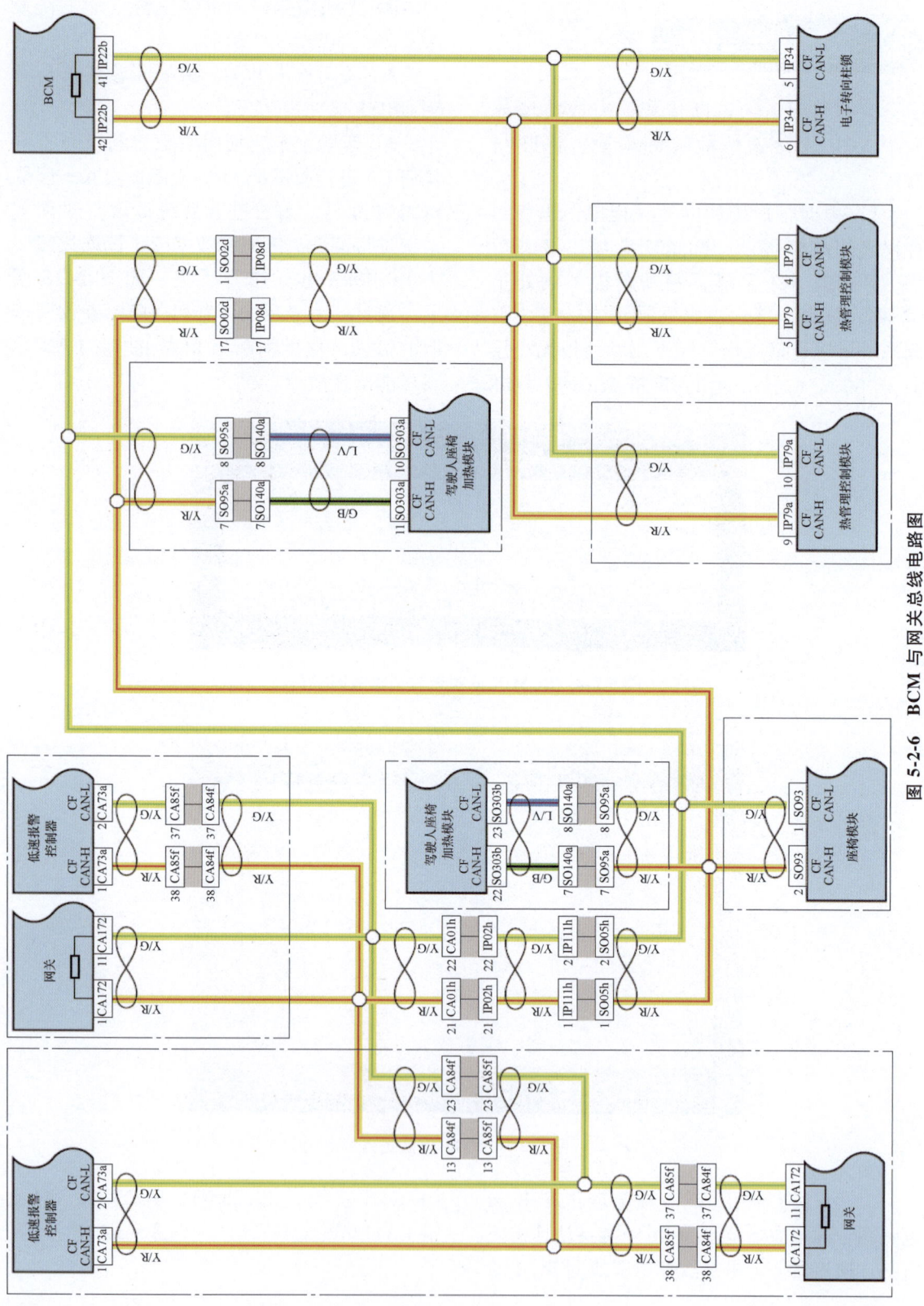

图 5-2-6 BCM 与网关总线电路图

5)断开蓄电池负极,等待5min,进行基本检查,CA172、IP22b、IP08d 插接器外观及连接情况是否正常。

6)使用万用表电阻档检测 IP22b/41 至 CA172/11 之间的电阻,电阻正常。用万用表电阻档检测 IP22b/42 至 CA172/1 之间的电阻,标准值小于1Ω,实测值大于1Ω,阻值异常。

7)使用万用表检测 IP22b/42 至 IP08d/17 之间的电阻,标准值小于1Ω,实测值大于1Ω,如图 5-2-7 所示。因空调热管理系统工作正常,根据检测结果判断 IP22b/42 至中间铰接电路断路,对断路 CF CAN 总线进行维修。

8)维修完成后,用万用表电阻档检测 IP22b/42 至 IP08d/17 之间的电阻,测量结果小于1Ω,阻值正常,如图 5-2-8 所示,复查 CF CAN 总线故障排除。

9)连接 CA172、IP22b、IP08d 插接器,连接蓄电池负极。

10)车辆上电,使用故障诊断仪对吉利几何 G6 进行故障码和数据流的读取,BCM 显示无故障码,确认故障已排除。

图 5-2-8　IP22b/42 至 IP08d/17 电阻维修后检测

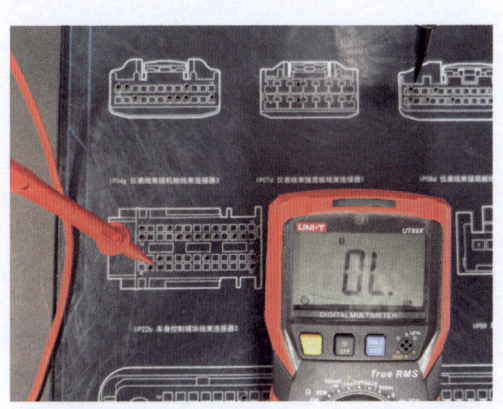

图 5-2-7　IP22b/42 至 IP08d/17 电阻检测

故障案例分析

由吉利几何 G6 纯电动汽车 CF CAN 总线通信电路图可以分析出,BCM 的 CF CAN 总线出现故障,使 BCM 无法与网关进行通信,BCM 本身正常工作,但是网关就无法接收到 BCM 的信号,网关接收不到信号就无法下达关于 BCM 的相关指令。

学习小结

1. BCM 的 CF CAN 总线出现故障,BCM 本身正常工作,但是 BCM 无法与热管理控制模块、座椅模块、低速报警控制器、网关等系统进行通信。

2. BCM 的 CF CAN 总线出现故障,网关就无法接收到 BCM 的信号,网关接收不到信号就无法下达关于 BCM 的相关指令。

3. BCM 无法与网关通信故障主要包括 BCM 本身、网关和电源等。

> **课外小故事**

资本经纬——中国车企的并购棋局

（1）技术困局：被封锁的全球化路径　21世纪10年代，中国车企在欧美市场频频遭遇技术壁垒。某头部企业尝试收购德国传动系统企业时，却因各种原因被叫停，暴露出中国汽车产业全球化进程中"资本出海易，技术协同难"的困境。

（2）破局之战：生态共建式并购　2022年，某中国新能源车企启动"丝路计划"，创造性提出"技术换市场"策略：

1）在匈牙利建立联合研发中心，共享三电系统专利。
2）收购巴西车企时保留原管理团队，实行双 CEO 制。
3）与东南亚出行平台组建数据联盟，共建自动驾驶地图生态。

这种"不求控股求共生"的模式，使并购成功率提升至87%。

（3）文化融合：从冲突到共融　在整合意大利设计团队时，中方创造性地设立"文化缓冲区"：

1）米兰工作室保留独立创意权限。
2）中国和意大利工程师轮岗培养计划。
3）建立跨国虚拟现实协同平台。

最终诞生的 Dolce Vita 概念车，斩获2024年红点至尊奖，成为东西方设计哲学融合的典范。

（4）全球共赢：技术反哺与市场裂变　2025年，该企业：

1）欧洲工厂本地化率达75%，创造2.3万个就业岗位。
2）反向输出智能座舱系统至德国豪华品牌。
3）东南亚市占率突破29%，建成首个右舵车数字工厂。

《麦肯锡报告》显示，这种"技术-市场-人才"三位一体的出海模式，使中国汽车产业全球化指数提升42%。

学习情境 6

纯电动汽车综合故障诊断与排除

学习目标

- 能根据仪表显示的故障现象、故障码、数据流及电路图分析故障原因。
- 能制订低压供电故障诊断流程。
- 能根据制订的诊断流程对低压供电系统进行故障诊断。
- 能根据故障现象、故障码、数据流及电路图分析故障原因。
- 能制订无法正常行驶的故障诊断流程。
- 能根据制订的诊断流程对 VCU 加速控制单元进行故障诊断。
- 能制订无法交流充电故障诊断流程。
- 能根据制订的诊断流程对交流充电系统进行故障诊断。
- 能根据诊断结果判定故障点,并对故障点进行维修或更换故障元器件。

学习单元 6.1　低压供电不正常故障诊断与排除

情境导入

一辆吉利帝豪 EV450 纯电动汽车,客户反映启动车辆后,汽车没有任何反应,只有一个小汽车亮了。经维修技师上电查看应急灯一直闪烁,仪表上除了小汽车点亮及驻车灯点亮,其他信息没有任何显示。经过维修技师诊断,确认是 IG1 继电器线圈断路故障,更换 IG1 继电器,故障现象消失,车辆可以正常行驶。

低压供电不正常故障诊断与排除

故障原因分析

给低压供电的是由 BCM 控制的 IG1 继电器,IG1 继电器在电路图中为 IR02,如图 6-1-1 所示,IG1 继电器 86 号端子通过导线连接 BCM,85 号端子通过导线搭铁,30 号端子通过导线连接蓄电池正极,87 号端子通过导线连接用电设备,87 号端子也称为负载端子。

101

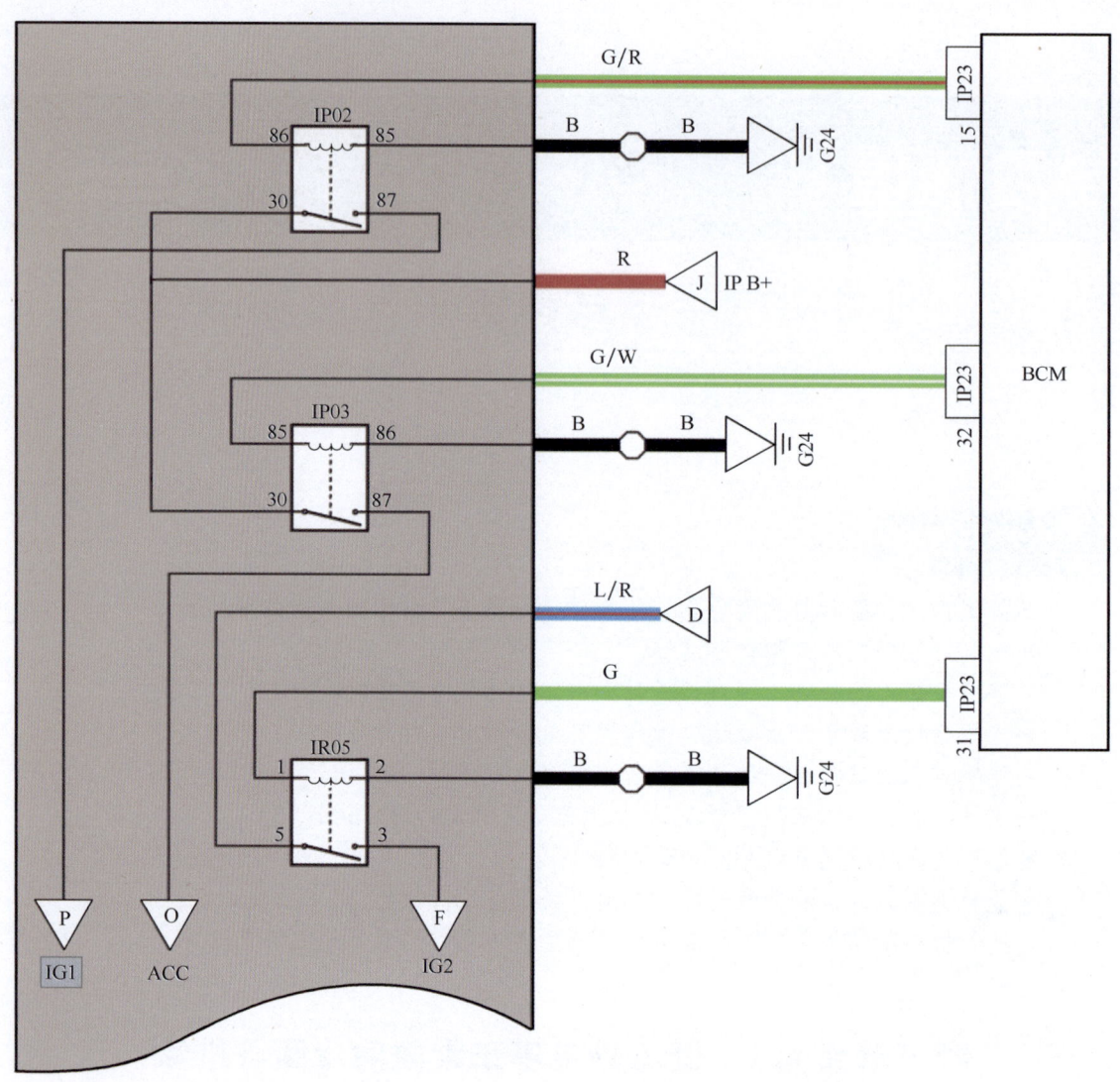

图 6-1-1　吉利帝豪 EV450 纯电动汽车 IG1 继电器部分电路图

BCM 控制 IG1 继电器线圈通电，将 IG1 继电器开关闭合，通过 87 号端子为低压用电设备供电，IG1 继电器主要给 ACU、驾驶模式开关、环境光及阳光传感器、T-BOX、组合仪表、电动车窗控制模块、空调面板开关、驾驶人座椅加热、自动空调控制面板、前乘员座椅加热、BCM、电动转向管柱锁、转向盘转角传感器、全车音响模块、变速器换档开关、EPS 模块、EPB、低速报警、VCU、ESC、制动开关、座椅模块供电，IG1 继电器出现故障，以上所有系统都无法正常工作。

低压供电不正常的故障主要有蓄电池、IG1 继电器、B+ 电路、熔丝、BCM 等，如图 6-1-2 所示。

故障诊断流程

当车辆发生低压供电不正常故障时，一般遵循图 6-1-3 所示的故障诊断流程进行排

学习情境 6　纯电动汽车综合故障诊断与排除

除。吉利帝豪 EV450 纯电动汽车发生低压供电不正常故障时，要与客户沟通，检查蓄电池电压是否正常，进行故障确认，低压供电不正常故障诊断流程应该从蓄电池和 IG1 继电器等方面进行故障分析。

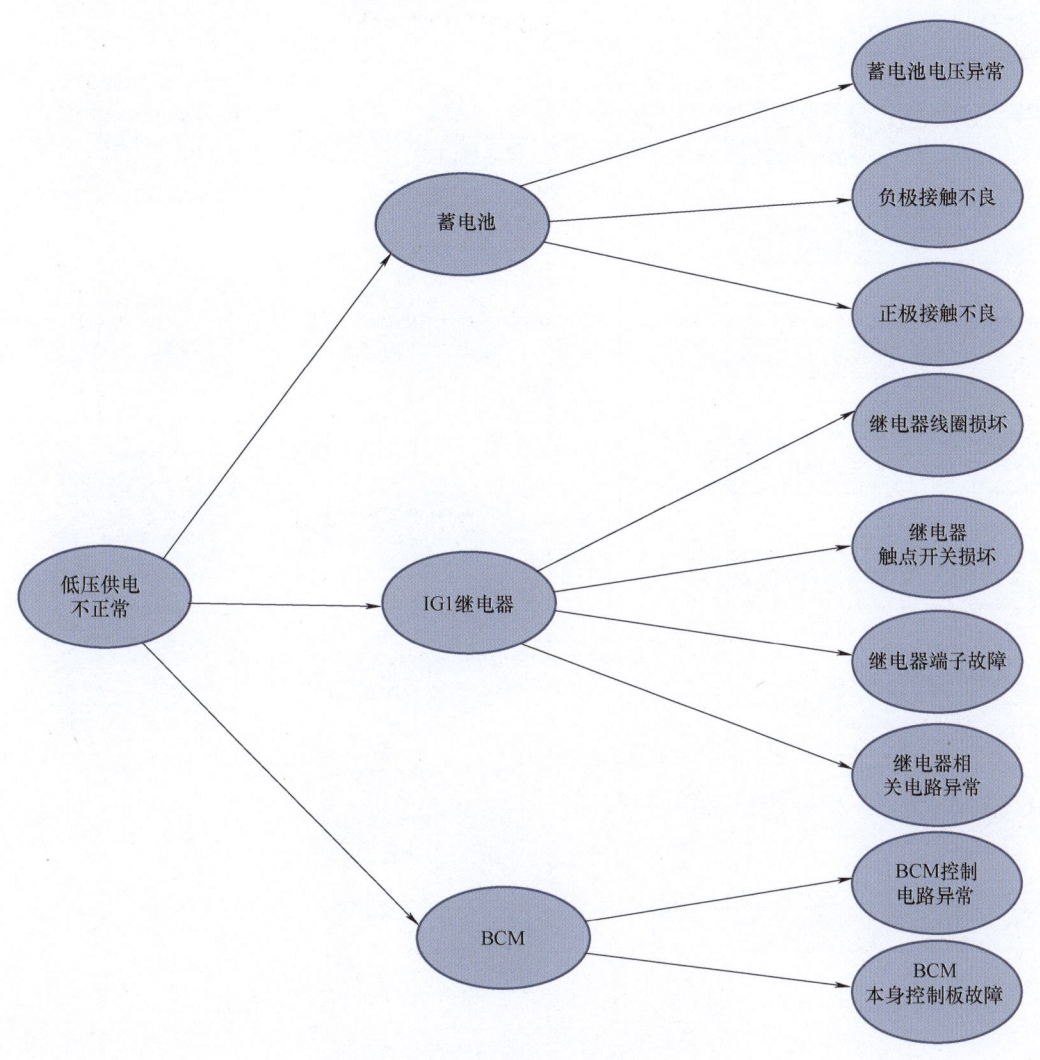

图 6-1-2　低压供电不正常故障点分析

根据客户的描述现场的故障再现，初步分析故障位置，使用故障诊断仪检查故障码和数据流，分析、判断故障位置，通过分析、判断，制订故障维修流程，进行故障检测。

故障诊断与修复

下面利用上述诊断流程，完成情境导入中低压供电不正常故障的检测、诊断与修复。

1）根据客户描述的故障现象，检查组合仪表的故障提示，发现应急灯一直闪烁，仪表上除了小汽车点亮及驻车灯点亮，其他信息没有任何显示，如图 6-1-4 所示。

2）关闭点火开关，将故障诊断仪与车辆 OBDⅡ诊断口连接。

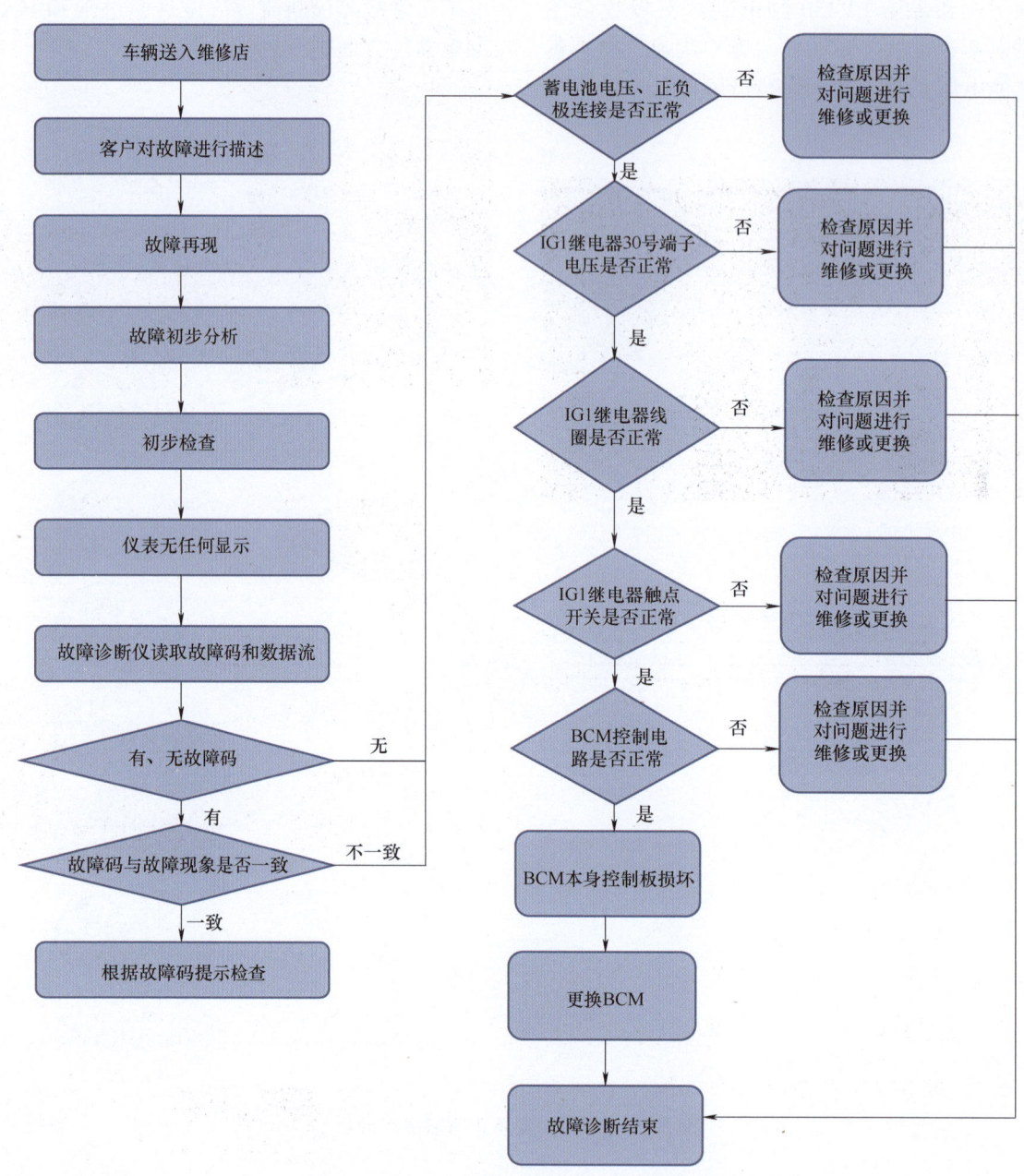

图 6-1-3 低压供电不正常故障诊断流程

3）车辆上电，使用故障诊断仪对帝豪 EV450 纯电动汽车进行故障码和数据流的读取，读取 BCM 系统故障码，故障码为：U012287 ACM 与 ESP 通信丢失、B128329 IGN1 继电器控制输出无效、C161531 未收到齿轮脉冲信号，如图 6-1-5 所示。通过仪表显示的信息和故障诊断仪所读取的信息，初步判断为 IG1 继电器可能出现故障，由简入难的故障诊断思路，可以先对蓄电池进行检查，然后检查 IG1 继电器。

4）检查蓄电池正负极连接情况正常，用万用表测量蓄电池电压正常，查阅吉利帝豪 EV450 纯电动汽车 IG1 继电器电路图，确定故障范围为 IG1 继电器自身及其相关电路、熔丝、插接器等，根据故障范围找到 IG1 继电器 30 号端子，如图 6-1-1 所示。

图 6-1-6　IG1 继电器 30 号端子输入电压检查

图 6-1-4　低压供电不正常故障确认

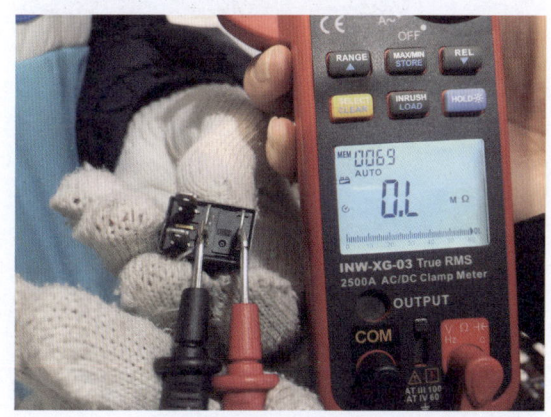

图 6-1-7　IG1 继电器触点开关电阻检查

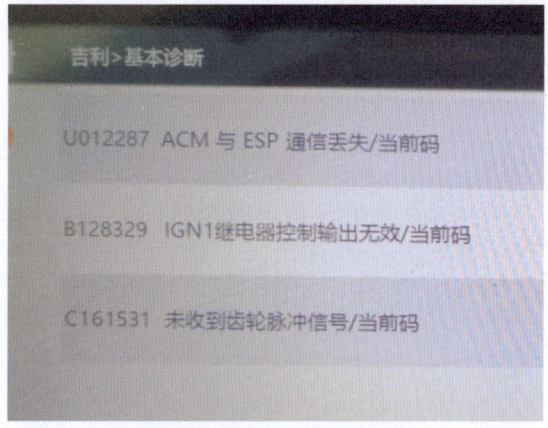

图 6-1-5　BCM 系统故障码

5）断开蓄电池负极，等待 5min，进行基本检查，IG1 继电器外观及连接情况是否正常，正常继续测量，不正常则更换或维修。

6）使用万用表电压档位，检查 IG1 继电器 30 号端子电压，标准值为当前蓄电池电压，实测值为蓄电池电压，30 号端子输入电压正常，如图 6-1-6 所示。

7）使用万用表电阻档位，检查 IG1 继电器触点开关电阻，标准值为无穷大，实测值无穷大，正常，如图 6-1-7 所示。

8）使用万用表电阻档位，检查 IG1 继电器线圈电阻，实测值为无穷大，IG1 继电器线圈断路，故障确认，如图 6-1-8 所示。

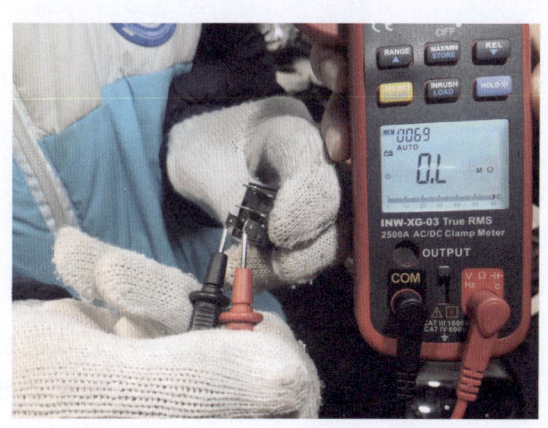

图 6-1-8　IG1 继电器线圈电阻检查

9）更换 IG1 继电器，测量 IG1 继电器线圈电阻，实测值为 76Ω，IG1 继电器线圈正常，如图 6-1-9 所示。

10）连接蓄电池负极。

11）车辆上电，使用故障诊断仪对帝豪 EV450 纯电动汽车进行故障码和数据流的读取，BCM 显示无故障码，确认故障已排除。

故障案例分析

由吉利帝豪 EV450 纯电动汽车 IG1 继电器电路图可以分析出，BCM 控制 IG1 继电器线圈通电，将 IG1 继电器开关闭合，通过 87 端子为低压用电设备供电，IG1 继电器主要给 T-BOX、组合仪表、BCM、电动转向管柱锁、VCU 等模块供电，IG1 继电器出现故障，以上所有系统都无法正常工作。

图 6-1-9　更换 IG1 继电器线圈电阻检测

学习小结

1. 低压供电不正常的故障现象是仪表应急灯一直闪烁，仪表上除了小汽车点亮及驻车灯点亮，其他信息没有任何显示。

2. 蓄电池电压通过 B+送到 IG1 继电器 30 端子，BCM 控制线圈通电产生磁场将开关吸合，30 端子与 87 端子导通，电压通过 87 端子向用电设备提供低压电压。

3. 低压供电不正常的故障主要由蓄电池、IG1 继电器、B+电路、熔丝、BCM 等故障引起。

课外小故事

"绿色基因"——全球首条新能源汽车环保材料供应链攻坚记

（1）材料困局：伪环保陷阱　21世纪20年代，新能源汽车虽能实现动力系统清洁化，但内饰仍大量使用石油基塑料。某车企拆解显示，单台车含 16kg 不可降解材料，全行业年产生环保负债超百亿元。

（2）破壁行动：自然材料革命　2023 年，供应链联盟启动"地球皮肤计划"：
1）用贵州磷矿废料开发出生物基聚氨酯（强度提升 30%，碳排放降低 65%）。
2）从苹果加工废料提取纤维素，制成转向盘覆皮（耐候性达行业标准的 2.3 倍）。
3）首创蘑菇菌丝体生长成形工艺，72h"种"出仪表台骨架。

（3）极端验证：从实验室到雨林　研发团队在亚马逊雨林建立生态测试站：
1）模拟高温高湿环境验证材料降解周期。
2）开发仿生表面处理技术，使材料报废后 3 个月自然分解。

3)构建材料碳足迹区块链溯源系统。

最终通过欧盟最严苛的 EPD 环保认证,材料成本较传统方案降低 28%。

(4)产业重构:绿色价值链崛起 2025 年,该体系:

1)带动 37 个乡村振兴项目,年消耗农业废弃物 120 万 t。

2)建成全球首条"零碳材料"超级工厂,光伏覆盖率 100%。

3)被宝马、奔驰纳入全球采购清单。

国际清洁交通委员会评价:"这是汽车工业继电动化后的第二次可持续革命"。

学习单元 6.2　无法正常行驶故障诊断与排除

情境导入

无法正常行驶故障诊断与排除

一辆吉利帝豪 EV450 纯电动汽车，客户反映启动车辆后，车辆无法行驶。经维修技师上电查看发现纯电动汽车可以正常上高压电，READY 指示灯点亮，挂档正常，把档位调到 D 位后，踩下加速踏板车辆无法行驶，仪表上故障提醒警告灯点亮，松开加速踏板故障提醒警告灯熄灭。经过维修技师诊断，确认是加速踏板电路故障，维修后故障现象消失，车辆可以正常行驶。

故障原因分析

无法正常行驶故障一般分为两种情况，一种情况是车辆可以上高压电，但是挂档踩下加速踏板车辆不能行驶，另一种情况是车辆不可以上高压电，车辆无法正常行驶。

车辆可以上高压电，但是挂档踩下加速踏板车辆不能行驶，通过现象可以分析出高压控制系统是正常的，低压控制系统出现故障，这种故障一般出现在 VCU 加速控制单元、加速踏板本身及其相关电路。

车辆不可以上高压电，车辆无法正常行驶，故障比较广，高压控制系统要分析，低压控制系统也要分析，主要还是要看不能上高压电的故障现象，根据不能上高压电的故障现象进行具体分析。

加速踏板信号经 VCU 处理后，通过 CAN 通信方式控制驱动电机转矩输出。车辆在行驶过程中，驾驶人的操作意图更多的时候体现在对加速踏板的操控上，在此情形下，加速踏板传感器自然成为一个"安全相关"设备。加速踏板故障出现时，纯电动汽车可以上高压电，但是车辆不能行驶，根据电路图 6-2-1 所示，加速踏板信号传递不到 VCU，VCU 是无法根据驾驶人意图进行控制的。

本节主要对加速踏板引起的无法正常行驶故障进行分析，如图 6-2-2 所示。

故障诊断流程

当车辆发生加速踏板引起的车辆无法正常行驶故障时，一般遵循图 6-2-3 所示的故障诊断流程进行排除。吉利帝豪 EV450 纯电动汽车发生无法正常行驶故障时，车辆可以正常上高压电，挂档踩下加速踏板汽车不能行驶，与客户沟通，进行故障确认，无法正常行驶故障诊断流程应该从加速踏板本身及其相关电路、控制单元等方面进行故障分析。

根据客户的描述现场的故障再现，初步分析故障位置，使用故障诊断仪检查故障码和数据流，分析、判断故障位置，通过分析、判断，制订故障维修流程，进行故障检测。

故障诊断与修复

下面利用上述诊断流程，完成情境导入中加速踏板引起的车辆无法正常行驶故障的检测、诊断与修复。

1）根据客户描述的故障现象，检查组合仪表的故障提示，把档位调到 D 位后，踩下加速踏板车辆无法行驶，仪表上故障提醒警告灯点亮，松开加速踏板故障提醒警告灯熄灭，如图 6-2-4 所示。

学习情境 6　纯电动汽车综合故障诊断与排除

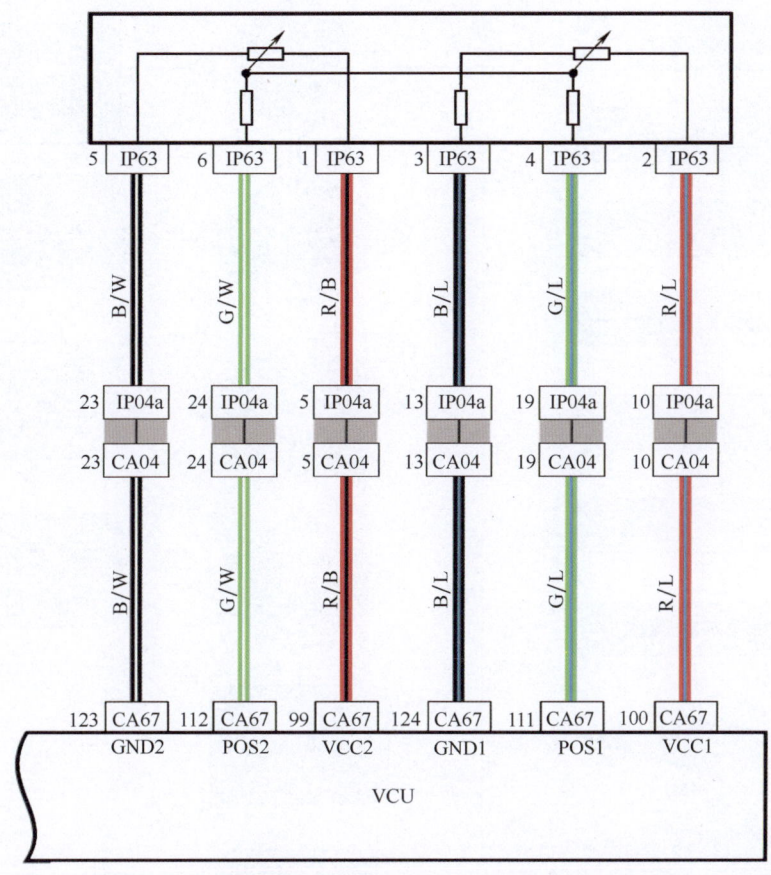

图 6-2-1　吉利帝豪 EV450 纯电动汽车加速踏板电路图

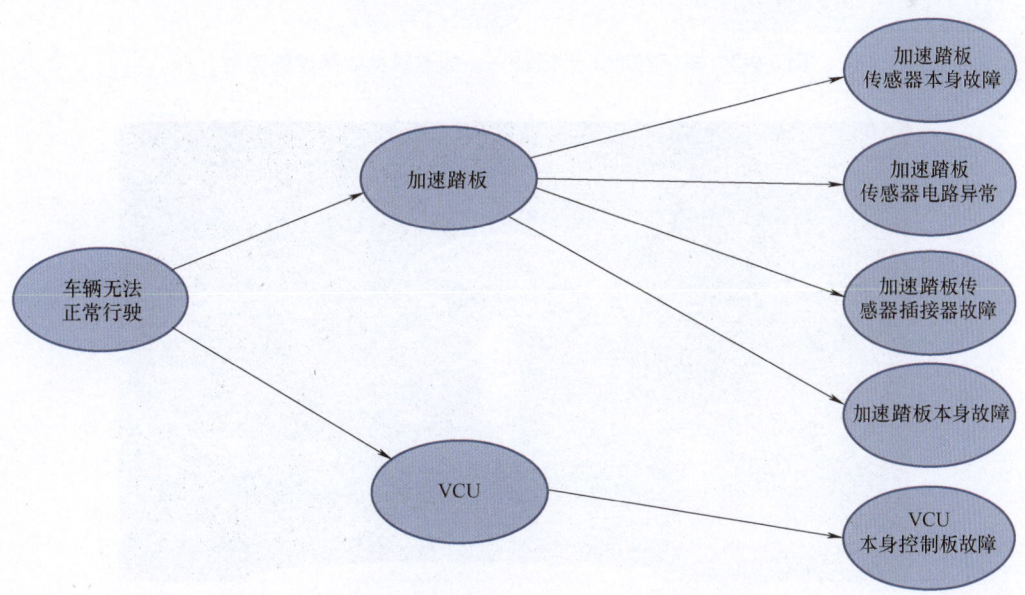

图 6-2-2　加速踏板引起的车辆无法正常行驶故障点分析

109

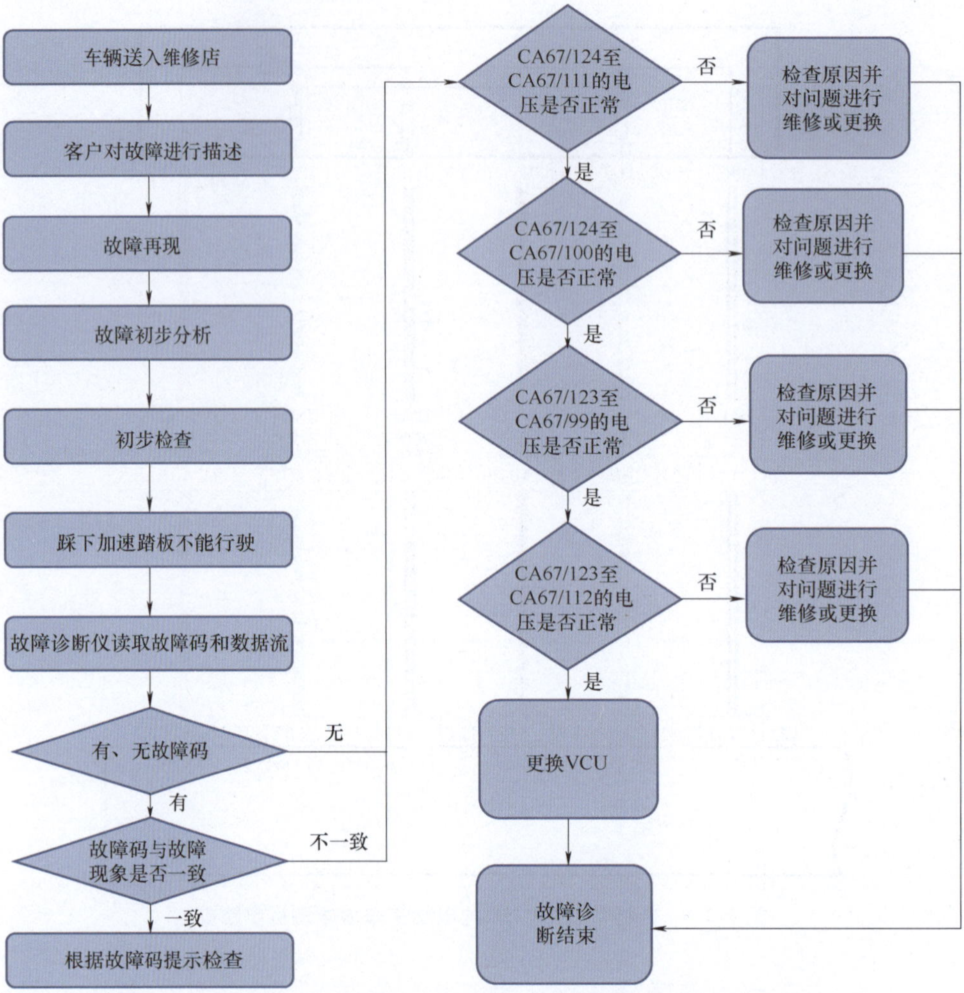

图 6-2-3 车辆无法正常行驶——加速踏板故障诊断流程

图 6-2-4 车辆无法正常行驶故障确认

2）关闭点火开关，将故障诊断仪与车辆OBDⅡ诊断口连接。

3）车辆上电，使用故障诊断仪对帝豪EV450纯电动汽车进行故障码和数据流的读取，读取VCU故障码，故障码为：P1C1F04加速踏板信号1断路或短路到地，如图6-2-5所示。数据流读取加速踏板1信号0.0V，加速踏板2信号2.2V，如图6-2-6所示。读取数据流时要踩加速踏板，观察数据流变化。通过仪表显示的信息和故障诊断仪所读取的信息，初步判断为加速踏板1信号可能出现故障，故障部位可能是电路或传感器本身，由简入难的故障诊断思路，可以先对加速踏板传感器电路进行检查。

图6-2-5　VCU故障码

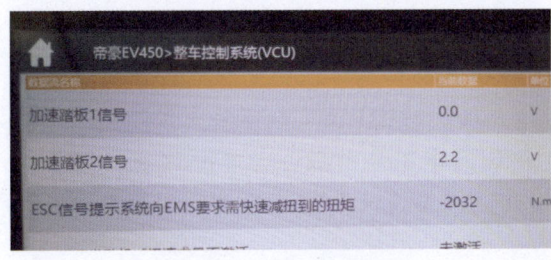

图6-2-6　VCU数据流

4）查阅吉利帝豪EV450纯电动汽车VCU加速控制电路图，确定故障范围为加速踏板传感器自身及其相关电路、插接器等，根据故障范围找到加速踏板传感器及VCU，如图6-2-1所示。

5）断开蓄电池负极，等待5min，进行基本检查，CA67、IP63插接器外观及连接情况是否正常，如果异常应进行维修，正常进行下一步检查。

6）检查加速踏板1信号，CA67/111至CA67/124之间的电压标准值为4.5V左右，实测值为4.52V，电路正常，如图6-2-7所示。

图6-2-7　CA67/111至CA67/124电压检查

7）检查加速踏板1信号，CA67/100至CA67/124之间的电压标准值为5.0V左右，实测值为0V，电路故障，如图6-2-8所示。

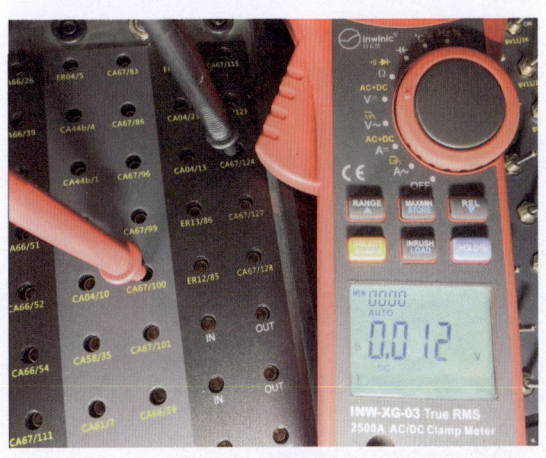

图6-2-8　CA67/100至CA67/124电压检查

8）检查加速踏板1信号，CA67/100至CA04/10之间的电阻标准值小于1Ω，实测值大于1Ω，电路断路，如图6-2-9所示。判断CA67/100至CA04/10之间电路断路，对故障进行维修。

图 6-2-9　CA67/100 至 CA04/10 电阻检查

图 6-2-10　维修后 CA67/100 至 CA04/10 电阻检查

9）维修后检查加速踏板 1 信号，CA67/100 至 CA04/10 之间的电阻标准值小于 1Ω，实测值小于 1Ω，如图 6-2-10 所示，维修后故障排除。

10）连接插接器，连接蓄电池负极。

11）车辆上电，使用故障诊断仪对帝豪 EV450 纯电动汽车进行故障码和数据流的读取，BCM 显示无故障码，挂档踩下加速踏板车辆可以正常行驶，确认故障已排除。

故障案例分析

加速踏板信号经 VCU 处理后，通过 CAN 通信方式控制驱动电机转矩输出。车辆在行驶过程中，驾驶人的操作意图更多的时候体现在对加速踏板的操控上，在此情形下加速踏板传感器自然成为一个"安全相关"设备。加速踏板故障出现时，纯电动汽车可以上高压电，但是车辆不能行驶。

学习小结

1. 无法正常行驶故障一般分为两种情况，一种情况是车辆可以上高压电，但是挂档踩下加速踏板车辆不能行驶，另一种情况是车辆不可以上高压电，车辆无法正常行驶。

2. 车辆可以正常上高压电，挂档踩下加速踏板汽车不能行驶，与客户沟通，进行故障确认，无法正常行驶故障诊断流程应该从加速踏板本身及其相关电路、控制单元等方面进行故障分析。

3. 加速踏板的故障主要包含加速踏板传感器本身及其相关电路、VCU 控制板等。

课外小故事

粉红代码——新能源实验室的铿锵玫瑰

（1）性别困境：科研玻璃天花板　21 世纪 10 年代，某新能源实验室女性占比不足 15%，关键技术岗位更是凤毛麟角。陈薇申请固态电池项目时，曾被质疑"女性难以承受高温老化测试强度"。

(2) 技术突围：三场关键战役

1) 安全防线：开发动力蓄电池热失控"分子级阻断剂"，将热蔓延速度从 8m/s 降至 0.3m/s。

2) 低温禁区：发明仿生电解液，使锂电池在 -40℃ 环境下保持 92% 容量（突破物理极限）。

3) 循环革命：创建"细胞分裂式"再生技术，动力蓄电池循环使用寿命突破 6000 次。

(3) 高原验证：生命禁区的坚守　2024 年，陈薇带队在青藏高原建立世界海拔最高（5010m）的动力蓄电池测试站：

1) 研发自适应气压调节模组，解决高原析锂难题。

2) 设计模块化快换系统，单人可在 15min 内完成动力蓄电池更换。

3) 开发 AI 健康监护系统，保障女性科研人员高原作业安全。

最终实现磷酸铁锂电池能量密度达 230W·h/kg，刷新行业纪录。

(4) 全球影响：她力量的觉醒　2025 年，陈薇实验室：

1) 女性科研人员占比提升至 53%，设立"青鸾计划"培养女性工程师。

2) 固态电池技术授权至欧洲车企，专利费突破 10 亿欧元。

3) 受邀在联合国交通论坛发表《性别平等与技术革新》主题演讲。

《自然》杂志评价："她重新定义了新能源技术的温度与精度"。

学习单元 6.3　无法交流充电故障诊断与排除

📋 情境导入

无法交流充电故障诊断与排除

一辆吉利帝豪 EV450 纯电动汽车，客户反映车辆插上充电枪，充了一晚上没有充进去任何电。经维修技师充电检查，发现充电线连接指示灯点亮，动力蓄电池充电指示灯未点亮，充电时充电口的充电环亮红色。根据故障现象，经过维修技师诊断，确认是 VCU 唤醒电机控制器的电路断路，修复后故障现象消失，车辆可以正常充电。

📈 故障原因分析

交流充电系统使用交流 220V 单相民用电，通过整流变换，将交流电变换为高压直流电给动力蓄电池进行供电。交流充电系统主要部件包括供电设备（电缆保护盒、充电桩及充电线等）、交流充电口、车内高压线束、高压配电盒、OBC、动力蓄电池、VCU 和低压控制线束等。

根据电路图 6-3-6 分析充电故障症状主要有以下几个方面：

1）充电（高低压）电路故障：电路老化、松动、短路、断路，电缆损坏。

2）高压部件损坏：OBC 故障、动力蓄电池包故障。

3）高压互锁故障：过电压、欠电压、过电流、低温、过温。

4）通信故障：CAN 协议故障。

5）充电时各系统唤醒故障。

OFF 档或 ACC 档时，当充电枪插入后，CC 检测由悬空变为搭铁（如果辅助控制模块处于睡眠状态，则 CC 检测唤醒辅助控制模块），通过硬线唤醒 BMS（持续高电平），确认连接后辅助控制模块进行 CP 检测，待辅助控制模块检测到 CAN-BUS 上有来自 VCU 的报文时，将 CC、CP 状态及检测结果发送到 CAN-BUS 上，待辅助控制模块检测到 VCU 转发的高压系统无故障之后，闭合开关（S2）。

ON 档时，当充电枪插入后，CC 检测由悬空变为搭铁，确认 CC 连接后辅助控制模块进行 CP 检测，将 CC、CP 状态及检测结果发送到 CAN-BUS 上，待辅助控制模块检测到 VCU 发送的高压系统无故障之后，闭合充电桩交流输出开关。

无法交流充电故障分析如图 6-3-1 所示。

📋 故障诊断流程

当车辆发生无法交流充电故障时，一般遵循图 6-3-2 所示的故障诊断流程进行排除。吉利帝豪 EV450 纯电动汽车无法交流充电故障时，经与客户沟通，进行故障确认，无法交流充电故障诊断流程应该从 VCU 本身、唤醒线、电机控制器本身等方面进行故障分析。

根据客户的描述现场的故障再现，初步分析故障位置，使用故障诊断仪检查故障码和数据流，分析、判断故障位置，通过分析、判断，制订故障维修流程，进行故障检测。

💡 故障诊断与修复

下面利用上述诊断流程，完成情境导入中无法交流充电故障的检测、诊断与修复。

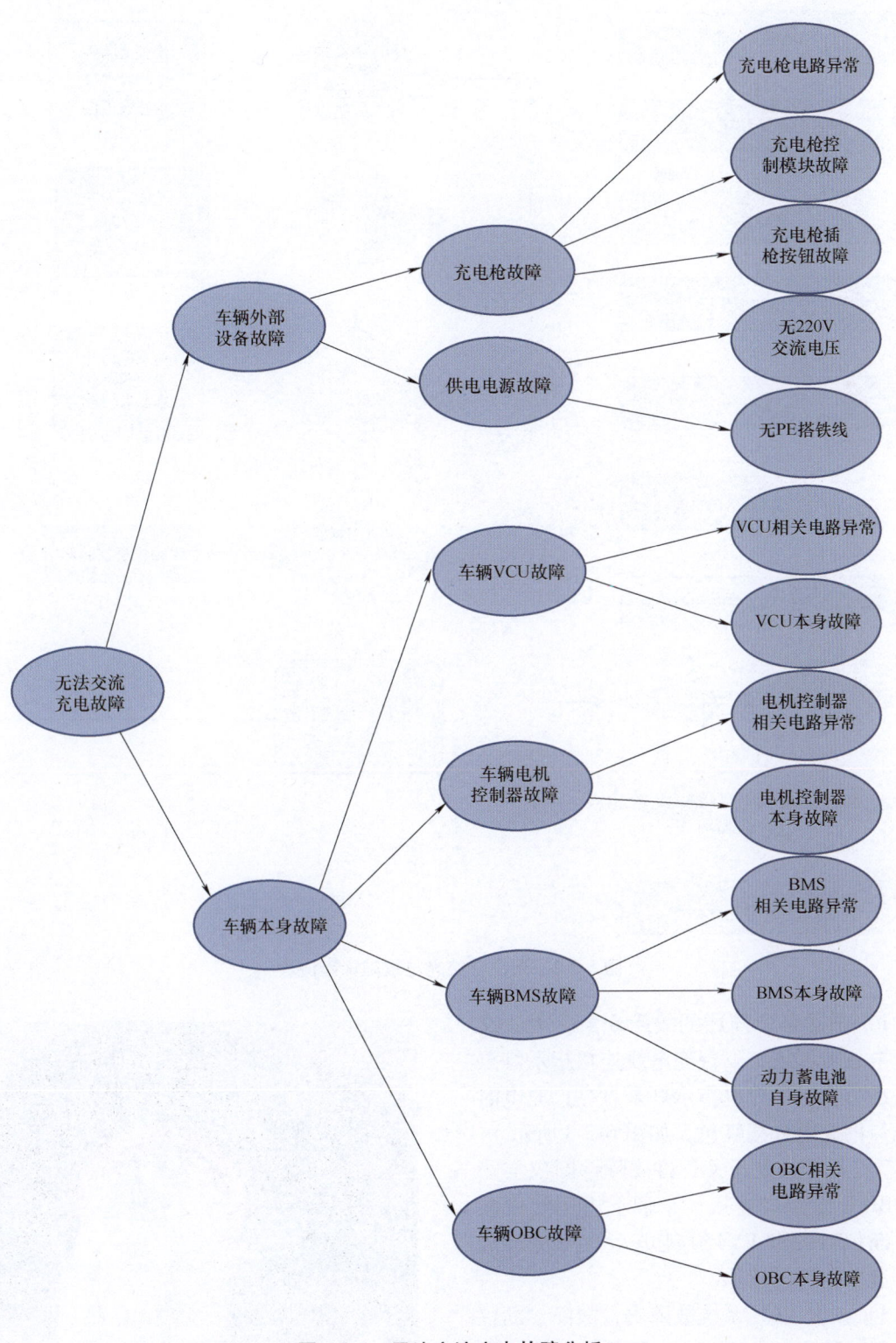

图 6-3-1　无法交流充电故障分析

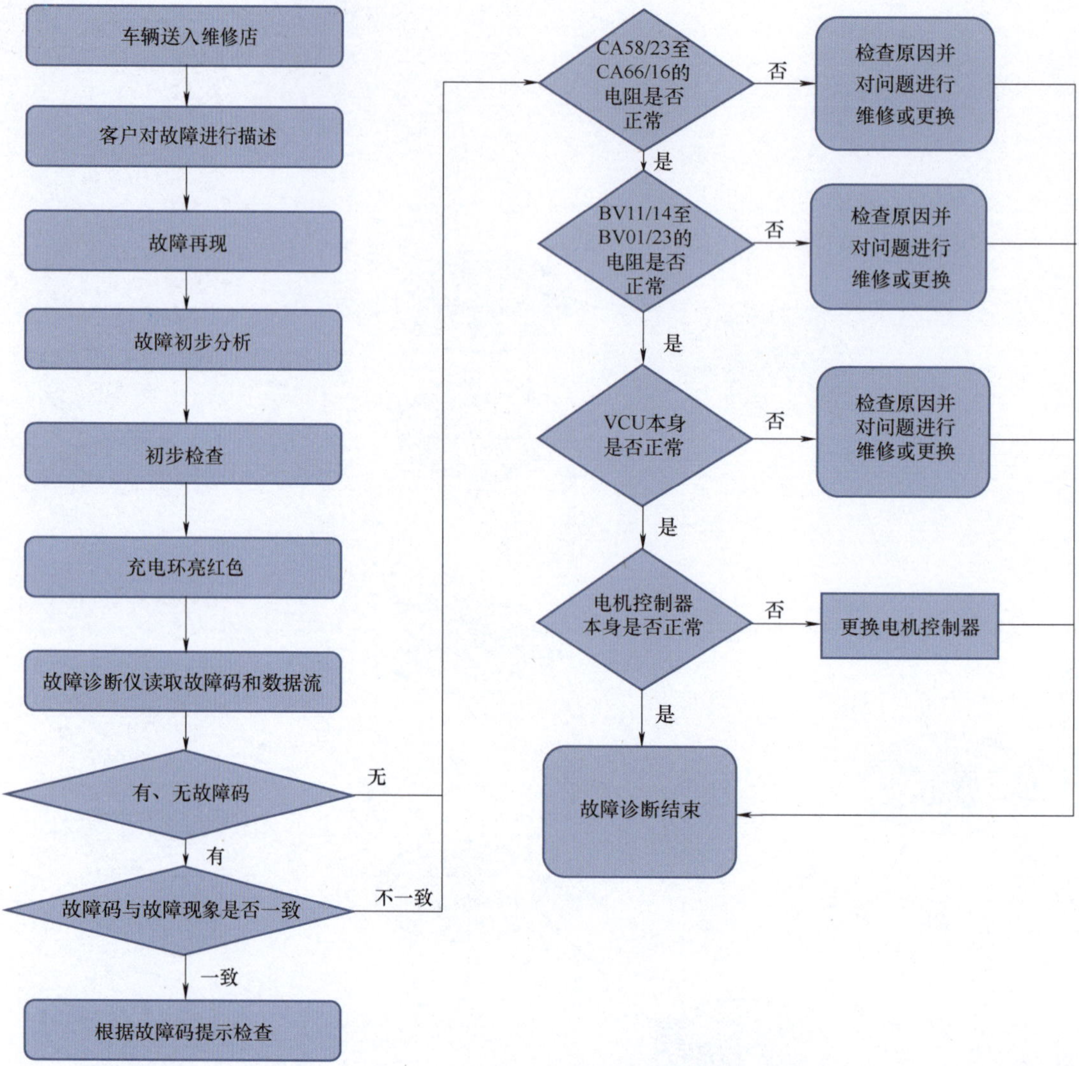

图 6-3-2　无法交流充电故障诊断流程

1) 根据客户描述的故障现象,无法交流充电故障再现,发现充电线连接指示灯点亮,动力蓄电池充电指示灯未点亮,充电时充电口的充电环亮红色,如图 6-3-3 所示。

2) 关闭点火开关,将故障诊断仪与车辆 OBD Ⅱ 诊断口连接,车辆上电,使用故障诊断仪对帝豪 EV450 纯电动汽车进行故障码和数据流的读取。

3) 读取 VCU 系统故障码,故障诊断仪显示无故障码,如图 6-3-4 所示,数据流读取 VCU 发出的 BMS 充电状态请求-禁止充

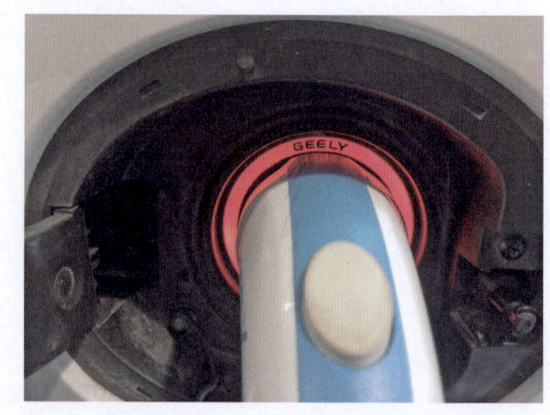

图 6-3-3　无法充电故障确认

电，OBC 输出充电电压 0.0V，OBC 输出充电电流 0.0A，如图 6-3-5 所示，通过仪表显示的信息、充电口显示的信息和故障诊断仪所读取的信息，初步判断为 VCU 与电机控制器的唤醒线可能出现故障，故障部位可能是唤醒线，由简入难的故障诊断思路，可以先对 VCU 与电机控制器的唤醒线进行检查。

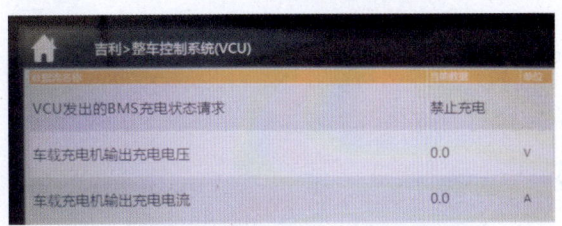

图 6-3-5　VCU 系统进行读取数据流

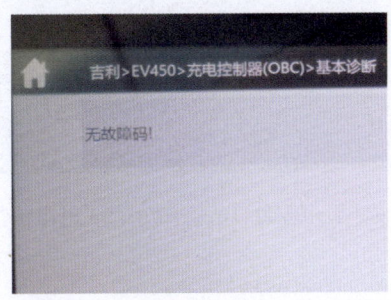

图 6-3-4　读取 VCU 系统无故障码

4）查阅吉利帝豪 EV450 纯电动汽车 VCU 与电机控制器的唤醒线电路图，确定故障范围为唤醒线、VCU、电机控制器等，根据故障范围找到 VCU 与电机控制器的唤醒线，CA66/16 至 BV11/14 之间，如图 6-3-6 所示。

5）断开蓄电池负极，等待 5min，进行基本检查，CA66、BV11 插接器外观及连接情况是否正常。

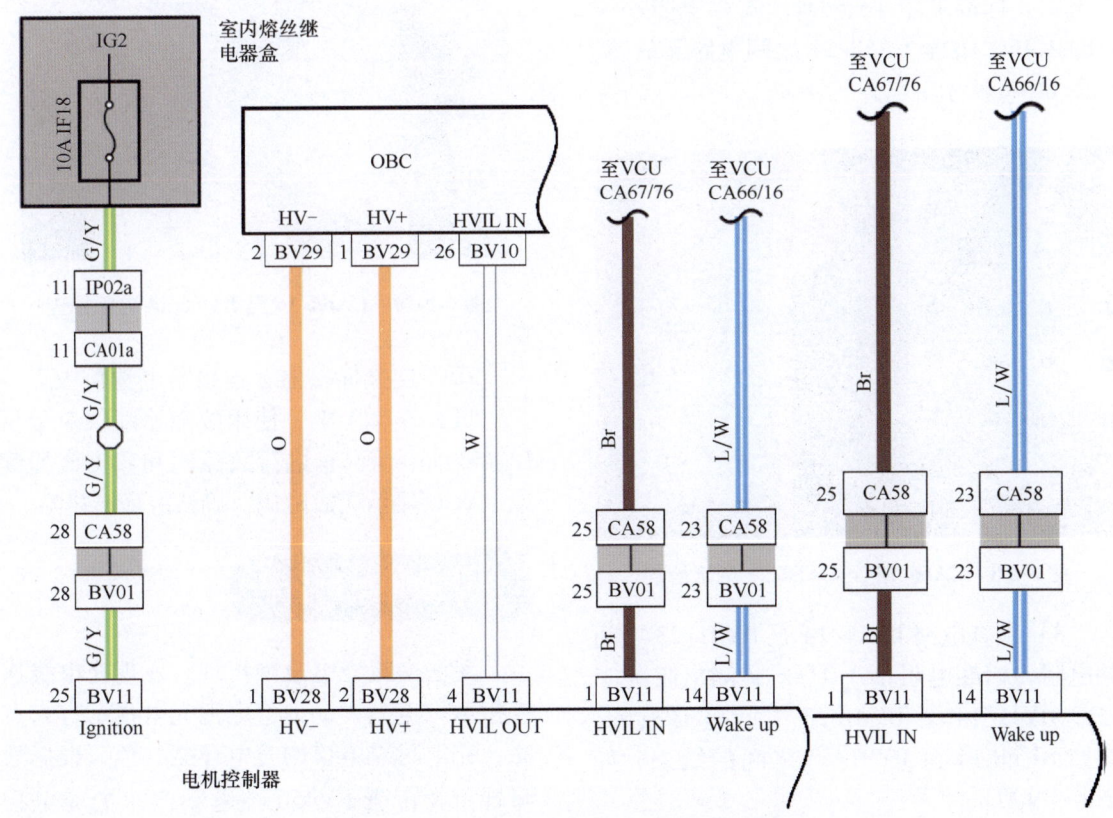

图 6-3-6　VCU 与电机控制器的唤醒线电路图

6）检查电路 CA66/16 至 BV11/14 之间的电阻，标准电阻小于 1Ω，实测电阻大于 1Ω，CA66/16 至 BV11/14 之间的电路故障，如图 6-3-7 所示。

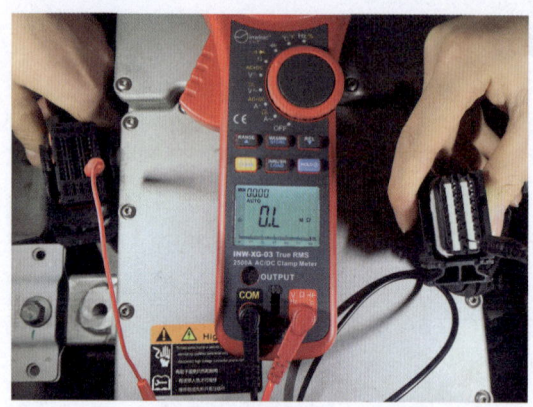

图 6-3-7　CA66/16 至 BV11/14 电阻检查

7）检查电路 CA66/16 至 CA58/23 之间的电阻，标准电阻小于 1Ω，实测电阻小于 1Ω，CA66/16 至 CA58/23 之间电路无故障，如图 6-3-8 所示。

图 6-3-8　CA66/16 至 CA58/23 电阻检查

8）检查电路 BV11/14 至 BV01/23 之间的电阻，标准电阻小于 1Ω，实测电阻大于 1Ω，BV11/14 至 BV01/23 之间电路故障，维修 BV11/14 至 BV01/23 之间的线束，如图 6-3-9 所示。

9）检查电路 CA66/16 至 BV11/14 之间的电阻，标准电阻小于 1Ω，实测电阻小于 1Ω，CA66/16 至 BV11/14 之间电路故障已排除，如图 6-3-10 所示。

图 6-3-9　BV11/14 至 BV01/23 电阻检查

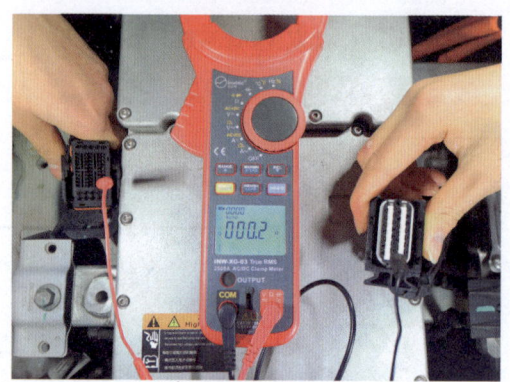

图 6-3-10　CA66/16 至 BV11/14 电阻检查

10）连接插接器，连接蓄电池负极。

11）车辆上电，使用故障诊断仪对帝豪 EV450 纯电动汽车进行故障码和数据流的读取，VCU 显示无故障码，确认故障已排除。

故障案例分析

无法交流充电故障再现，发现充电线连接指示灯点亮，动力蓄电池充电指示灯未点亮，充电时充电口的充电环亮红色，根据故障现象及帝豪 EV450 纯电动汽车的充电控制逻辑，可以判断故障发生在 VCU 与电机控制器唤醒线及 VCU 和电机控制器本身。

学习小结

1. 充电故障症状主要有以下几个方面：充电（高低压）电路故障，电路老化、松动、短路、断路，电缆损坏；高压部件损坏，OBC 故障，动力蓄电池包故障；高压互锁故障，过电压、欠电压、过电流、低温、过温；通信故障，CAN 协议故障；充电时各系统唤醒故障。

2. 交流充电系统主要部件包括供电设备（电缆保护盒、充电桩及充电线等）、交流充电口、车内高压线束、高压配电盒、OBC、动力蓄电池、VCU 和低压控制线束等。

3. 无法交流充电故障主要包含车辆外部设备故障、车辆本身故障，车辆外部故障主要在充电枪和供电电源上查找，车辆本身故障主要在 VCU、电机控制器、OBC、BMS 等系统查找。

课外小故事

数据动脉——途虎养车的汽车后市场血管革命

（1）行业痛点：万亿市场的数字孤岛

2020 年，中国汽车后市场规模超 1.3 万亿，但数字化率不足 7%。某调研显示，70% 修理厂仍用手工台账，供应链效率损失年均达 400 亿元。

（2）破局利器：云途引擎 3.0

2024 年，途虎联合抖音、嘉实多推出革命性解决方案：

1）智能诊断：AI 声纹分析技术，准确率为 98.7%（30s 完成故障预判）。

2）精准供给：动态需求预测系统使库存周转率提升为 240%。

3）场景再造：AR 养车课堂日均观看超 500 万人次，转化率为 37%。

（3）生态革命：三重维度重构

1）用户端：构建"人-车-生活"数字孪生体，养护决策响应速度提升 5 倍。

2）门店端：智能工位系统使单工位效能提升 160%，技师人效比达行业 2.3 倍。

3）供应链端：区块链溯源系统使假货率降至 0.03%，配送时效压缩至 2.1h。

（4）行业蝶变：数字新大陆崛起

2025 年，该生态：

1）连接 23 万家修理厂，服务覆盖 98% 县级以上区域。

2）孵化出 127 个数字原生品牌，其中 3 家估值超百亿元。

3）使养护成本下降 35%，投诉率降低 82%。

《波士顿咨询报告》指出：这是继电商革命后，中国最具价值的产业互联网范本。

参考文献

［1］何泽刚. 纯电动汽车常见故障诊断与排除［M］. 北京：机械工业出版社，2018.
［2］王芳，夏军. 电动汽车动力电池系统设计与制造技术［M］. 北京：科学出版社，2017.
［3］敖东光，宫英伟，陈荣梅. 电动汽车结构原理与检修［M］. 北京：机械工业出版社，2017.
［4］王震坡，刘鹏，邓钧君，等. 电动汽车原理与应用技术［M］. 3版. 北京：机械工业出版社，2023.
［5］崔胜民. 新能源汽车技术解析［M］. 北京：化学工业出版社，2016.

纯电动汽车

故障诊断与排除 第2版
任务工单

机械工业出版社

目 录

任务工单 1.1 ··· 1
   仪表显示剩余电量异常故障诊断与排除 ··· 1

任务工单 1.2 ··· 5
   动力蓄电池管理系统无法通信故障诊断与排除 ·· 5

任务工单 2.1 ··· 9
   车载交流充电枪异常故障诊断与排除 ·· 9

任务工单 2.2 ··· 13
   交流充电口异常故障诊断与排除 ·· 13

任务工单 2.3 ··· 17
   车载充电控制系统故障诊断与排除 ·· 17

任务工单 3.1 ··· 21
   驱动电机转动异常故障诊断与排除 ·· 21

任务工单 3.2 ··· 25
   功率限制指示灯点亮故障诊断与排除 ·· 25

任务工单 3.3 ··· 29
   电机控制器无法通信故障诊断与排除 ·· 29

任务工单 4.1 ··· 33
   VCU 与其他控制系统无法通信故障诊断与排除 ·· 33

任务工单 4.2 ··· 37
   整车热管理系统故障诊断与排除 ·· 37

任务工单 4.3 ··· 41
   高压互锁故障诊断与排除 ··· 41

任务工单 5.1 ·· **45**
    BCM 供电不正常故障诊断与排除 ·· 45

任务工单 5.2 ·· **49**
    BCM 无法通信故障诊断与排除 ··· 49

任务工单 6.1 ·· **53**
    低压供电不正常故障诊断与排除 ·· 53

任务工单 6.2 ·· **57**
    无法正常行驶故障诊断与排除 ·· 57

任务工单 6.3 ·· **61**
    无法交流充电故障诊断与排除 ·· 61

任务工单 1.1

任务名称	仪表显示剩余电量异常故障诊断与排除	学时		班级	
学生姓名		学生学号		任务成绩	
实训设备、工具及仪器	吉利帝豪 EV450 纯电动汽车 4 台，故障诊断仪 4 个，示波器 4 个，车间防护用具 4 套，个人防护用具 4 套，绝缘工具 4 套，常用检测设备（数字钳形万用表、绝缘电阻测试仪）4 套，故障检测线 4 盒。	实训场地	一体化教室	日期	
客户任务描述	一辆吉利帝豪 EV450 纯电动汽车，客户反映启动车辆后，READY 指示灯没有点亮，车辆无法行驶。经维修技师上电查看发现，除了客户说的故障现象以外，还发现了蓄电池充电警告灯点亮，动力蓄电池故障指示灯点亮，仪表上没有显示蓄电池的剩余电量。经过维修技师诊断，确认是动力蓄电池管理系统（BMS）出现故障，修复后故障现象消失，车辆可以正常行驶。				
任务目的	以行动为导向，引导学生制订计划，按照正确诊断流程诊断和修复故障。在此过程中学习相关理论和实践操作技能。				

一、资讯

1. 动力蓄电池的信息首先通过_____发送到 BMS，然后经过 BMS 的_____，将信息通过_____传递给_____，VCU 处理后将信息通过_____传递给 BCM，BCM 通过 VCAN 将信息传递给_____进行显示。因此可以看出，如果仪表盘没有正确地将动力蓄电池信息显示出来，则故障点包含以上信息所传递的环节。

2. BMS 的故障主要包含_____、_____、_____和 BMS 自身损坏。

3. BMS 供电异常往往是由于 BMS 供电电路故障导致的，例如供电电路_____、_____，熔丝熔断等，当出现这类故障时，需要对 BMS 供电电路进行进一步的检查，以确定故障点位置。

4. BMS 通信故障主要是 BMS 与低压控制盒通信及_____与_____的通信故障，一般的通信故障主要检查_____线是否异常。

5. BMS 损坏一般是由外部原因导致的 BMS _____、_____等，该类故障一般不好进行判断，一种办法是，如果对其他故障进行排除后，仍不能解决问题，则可认为是 BMS 损坏。

6. VCU 出现故障时，也会出现动力蓄电池_____显示异常。当 VCU 供电异常时，动力蓄电池状态也不能正常显示。

7. 动力蓄电池自身出现故障时，显示的动力蓄电池剩余电量为动力蓄电池的异常状况信息。故障点主要包括动力蓄电池低压接口故障和_____故障。动力蓄电池内部故障又可以分为_____和_____故障两类。

二、计划与决策

请根据故障现象和任务要求，确定所需要的检测仪器、工具，并对小组成员进行合理分工，制订详细的诊断和修复计划。

1. 需要的检测仪器、工具及防护用具。

2. 小组成员分工。

3. 诊断和修复计划。

三、实施

1. 填写车辆信息。

整车型号：_____工作电压：_____动力蓄电池容量：_____

车辆识别代码：_____电机型号：_____里程表读数：_____。

2. 故障现象确认。

根据客户描述的故障现象，检查组合仪表的故障提示，发现_____指示灯没有点亮，车辆无法行驶，_____，动力蓄电池故障指示灯点亮，仪表上没有显示蓄电池的_____，等待 4min 后，_____。

3. 连接故障诊断仪。

关闭点火开关，将故障诊断仪与车辆_____诊断口连接。

4. 故障码及数据流的读取。

1）车辆上电，使用故障诊断仪对帝豪 EV450 纯电动汽车进行故障码和数据流的读取，读取后发现故障诊断仪不能进入_____。

2）BMS 无法进入，更换 VCU 系统读取故障码和数据流，读取故障码为_____。

3）数据流读取_____，_____。在读取数据流时只读取与故障相关的数据流。确认故障码是否再次出现，并填写结果，需要在 ON 档进行清除并读取。

☐ 无 DTC   ☐ 有 DTC：_____

4）通过仪表显示的信息和故障诊断仪所读取的信息，初步判断为_____可能出现故障，故障部位可能是 BMS 的_____，由简入难的故障诊断思路，可以先对动力蓄电池的供电进行检查。

5. 确定故障范围。

查阅吉利帝豪 EV450 纯电动汽车 BMS 电路图，确定故障范围为 BMS 自身及其相关_____、_____、继电器、_____等，根据故障范围找到 BMS 模块供电熔丝为_____，供电电路为 B+至_____号端子。

6. 基本检查。

断开蓄电池负极，等待_____ min，进行基本检查，CA69 插接器_____及连接情况是否正常。

7. 部件/电路测试。

检查 EF01 熔丝，目测熔丝熔断，再用_____万用表检查，发现熔丝两侧端子电阻为 OL，确定 EF01 熔丝_____。

8. 部件/电路复查。

更换_____的 EF01 熔丝，测量 CA69/1 号端子电压为当前_____，连接 CA69 插接器，连接蓄电池负极。

9. 确认故障已排除。

车辆上电，仪表显示剩余电量正常，使用故障诊断仪对帝豪 EV450 进行_____和_____读取，BMS 显示无故障码。

10. 诊断结论。

综合上述检测结果，判断故障点为：_____。

四、检查

故障排除后，用故障诊断仪清除故障码，并进行以下检查：

1. 检查仪表是否还有故障提示：_____。
2. 检查高压上电情况：_____。
3. 检查充电情况：_____。

五、评估

1. 请根据自己任务完成的情况，对自己的工作进行自我评估，并提出改进意见。

1）_____

_____

2）_____

_____

3）_____

_____

2. 工单成绩（总分为自我评价、组长评价和教师评价得分值的平均值）。

自 我 评 价	组 长 评 价	教 师 评 价	总　　分

任务工单 1.2

任务名称	动力蓄电池管理系统无法通信故障诊断与排除	学 时		班级	
学生姓名		学生学号		任务成绩	
实训设备、工具及仪器	吉利帝豪 EV450 纯电动汽车 4 台，故障诊断仪 4 个，示波器 4 个，车间防护用具 4 套，个人防护用具 4 套，绝缘工具 4 套，常用检测设备（数字钳形万用表、绝缘电阻测试仪）4 套，故障检测线 4 盒。	实训场地	一体化教室	日期	
客户任务描述	一辆吉利帝豪 EV450 纯电动汽车，客户反映启动车辆后，车辆无法行驶，仪表上出现了很多以前没有见过的灯光。根据客户描述的故障现象，维修顾问将车辆交给维修技师，经维修技师上电查看发现，除了客户说的故障现象以外，还发现了 READY 指示灯没有点亮，蓄电池充电警告灯点亮，动力蓄电池故障指示灯点亮。经过维修技师诊断，确认 BMS 的 PCAN-H 总线通信故障，维修 PCAN-H 总线后故障消失，车辆可以正常行驶。				
任务目的	以行动为导向，引导学生制订计划，按照正确诊断流程诊断和修复故障。在此过程中学习相关理论和实践操作技能。				

一、资讯

1. 吉利帝豪 EV450 纯电动汽车 BMS 主要与＿＿＿＿＿＿通信，它与 VCU 通信采用＿＿＿＿＿的通信方式。

2. BMS 故障或 PCAN 总线故障等导致的＿＿＿＿不能有效地获取动力蓄电池状态，VCU 会认为动力蓄电池处于某种＿＿＿＿＿的情况，报给 BCM 动力蓄电池故障，BCM 会传递给＿＿＿＿＿，仪表会显示＿＿＿＿＿＿故障指示灯点亮。

3. 当 BMS 出现故障时，能够正常进入吉利帝豪 EV450 纯电动汽车＿＿＿＿＿读取各类信息，但不能进入＿＿＿＿＿＿读取信息。

4. 吉利帝豪 EV450 纯电动汽车 VCU 发生故障时，BMS 能将信息有效传递给_____，但是 VCU 不能正确处理，而且也不能向_____传递正确的动力蓄电池信息。

5. BCM 接收不到动力蓄电池的相关信息，会按照自身初始设置显示出_____，这种情况下，用故障诊断仪读取 VCU 模块时，不能进入_____系统，不能读取到 VCU 的任何相关信息。

6. BCM 发生故障时，BCM 不能正确接收_____信息，BCM 会要求仪表按照初始设置报_____，此时会显示_____故障，但该情况下，_____、_____是正常状态，因此这类故障需谨慎判断。

7. 这类故障使用诊断仪进行诊断，会发现能够正常进入_____、_____，各项指标都正常，但仪表依然显示动力蓄电池故障。

二、计划与决策

请根据故障现象和任务要求，确定所需要的检测仪器、工具，并对小组成员进行合理分工，制订详细的诊断和修复计划。

1. 需要的检测仪器、工具及防护用具。

2. 小组成员分工。

3. 诊断和修复计划。

三、实施

1. 填写车辆信息。

整车型号：_____工作电压：_____动力蓄电池容量：_____
车辆识别代码：_____电机型号：_____里程表读数：_____。

2. 故障现象确认。

根据客户描述的故障现象，检查组合仪表的故障提示，发现_____没有点亮，车辆无法行驶，_____点亮，_____灯点亮。

3. 连接故障诊断仪。

关闭点火开关，将故障诊断仪与车辆_____诊断口连接。

4. 故障码及数据流的读取。

1）车辆上电，使用故障诊断仪对帝豪 EV450 纯电动汽车进行故障码和数据流的读取，读取后发现故障诊断仪不能进入_____。

2）BMS 无法进入，更换 VCU 系统进行读取故障码和数据流，读取故障码为_____
_____。

3）确认故障码是否再次出现，并填写结果，需要在 ON 档进行清除并读取。
□ 无 DTC　　□ 有 DTC：_____

4）通过仪表显示的信息和故障诊断仪所读取的信息，初步判断为_____可能出现故障，故障部位可能是 BMS 的_____。

5. 确定故障范围。

查阅吉利帝豪 EV450 纯电动汽车 BMS 电路图，确定故障范围为 BMS 自身及其相关_____、_____、继电器、_____等。

6. 基本检查。

断开蓄电池负极，等待_____，进行基本检查，_____插接器及_____插接器外观及连接情况是否正常。

7. 部件/电路测试。

1) 检查 BMS 与 VCU 之间的 PCAN 总线，使用万用表电阻档，检查_____之间 PCAN-L 电阻，电阻正常。再次用万用表电阻档，检查_____之间 PCAN-H 电阻，标准值小于_____，实测值大于 1Ω，阻值异常。

2) 测量出 CA69/4 至 CA66/7 电阻阻值异常，按照故障诊断原则确定到最小范围，确定是 BMS 侧故障还是 VCU 侧故障，使用万用表检测_____之间的电阻，正常，使用万用表检测_____之间的电阻，标准值小于 1Ω，实测值大于 1Ω，阻值异常，根据检测结果判定故障为_____号引脚至中间铰接点线束断路，需要进行维修。

8. 部件/电路复查。

维修或更换 CA69/3 至 CA66/8 之间的线束，使用万用表检测_____之间的电阻，标准值小于 1Ω，实测值小于 1Ω，故障修复。

9. 确认故障已排除。

车辆上电，仪表显示剩余电量正常，使用故障诊断仪对帝豪 EV450 纯电动汽车进行_____和_____的读取，BMS 显示无故障码。

10. 诊断结论。

综合上述检测结果，判断故障点为：_____。

四、检查

故障排除后，用故障诊断仪清除故障码，并进行以下检查：

1. 检查仪表是否还有故障提示：_____。
2. 检查高压上电情况：_____。
3. 检查充电情况：_____。

五、评估

1. 请根据自己任务完成的情况，对自己的工作进行自我评估，并提出改进意见。

1) _____
_____

2) _____
_____

3) _____

2. 工单成绩（总分为自我评价、组长评价和教师评价得分值的平均值）。

自我评价	组长评价	教师评价	总　　分

任务工单 2.1

任务名称	车载交流充电枪异常故障诊断与排除	学时		班级	
学生姓名		学生学号		任务成绩	
实训设备、工具及仪器	吉利帝豪 EV450 纯电动汽车 4 台，故障诊断仪 4 个，示波器 4 个，车间防护用具 4 套，个人防护用具 4 套，绝缘工具 4 套，常用检测设备（数字钳形万用表、绝缘电阻测试仪）4 套，故障检测线 4 盒。	实训场地	一体化教室	日期	
客户任务描述	一辆吉利帝豪 EV450 纯电动汽车，客户反映车辆充电时插上充电枪，仪表无任何充电连接显示，无法正常充电。经维修技师检查，确定为充电枪内部电阻损坏，修复后故障现象消失，能够进行正常充电。				
任务目的	以行动为导向，引导学生制订计划，按照正确诊断流程诊断和修复故障。在此过程中学习相关理论和实践操作技能。				

一、资讯

1. 充电枪各端子的意义

CP：_____

CC：_____

N：_____

PE：_____

L：_____

NC1：_____

NC2：_____

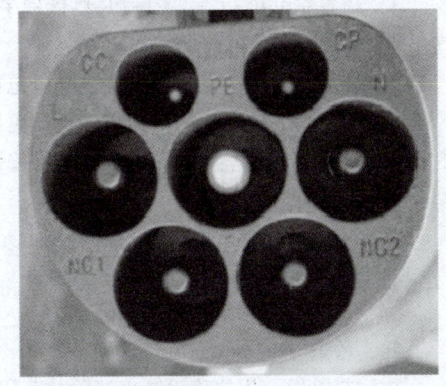

2. 车辆充电异常是指电动汽车正确连接充电枪或充电桩后不能正常对车辆充电。车辆充电异常故障现象可以分为_____、_____两种。

3. 车辆不能正常充电的原因主要有五个：＿＿＿＿＿＿＿＿、＿＿＿＿＿＿、动力蓄电池本身故障、通信故障以及相关电路故障。

4. 车辆需要利用外部设备进行充电，充电的方式有＿＿＿＿＿＿＿＿和＿＿＿＿＿＿＿＿两种。

5. 采用充电桩充电时，充电异常则可能是充电桩及电路故障，具体故障点包括＿＿＿＿＿＿、充电连接故障、充电枪故障。

6. 采用家用 220V 充电时，充电异常主要的故障点则包括＿＿＿＿＿＿＿＿＿＿＿＿＿＿、＿＿＿＿＿＿＿＿＿＿＿＿＿＿、充电枪故障。

二、计划与决策

请根据故障现象和任务要求，确定所需要的检测仪器、工具，并对小组成员进行合理分工，制订详细的诊断和修复计划。

1. 需要的检测仪器、工具及防护用具。

2. 小组成员分工。

3. 诊断和修复计划。

三、实施

1. 填写车辆信息。

整车型号：＿＿＿＿＿＿＿＿＿＿＿＿ 工作电压：＿＿＿＿＿＿＿＿ 动力蓄电池容量：＿＿＿＿＿＿＿

车辆识别代码：＿＿＿＿＿＿＿＿＿＿＿＿ 电机型号：＿＿＿＿＿＿＿＿ 里程表读数：＿＿＿＿＿＿。

2. 故障现象确认。

根据客户描述的故障现象，检查充电时组合仪表的故障提示，发现＿＿＿＿＿＿、＿＿＿＿＿＿指示灯没有点亮。

3. 部件/电路测试。

1）检查充电连接插座供电电压为＿＿＿＿＿＿ V，供电电压正常。

2）检查充电连接插座搭铁电阻为＿＿＿＿＿＿ Ω，充电插座搭铁正常。

3）检查充电枪端子 CP，拔下交流充电枪，用万用表测量 CP 端子电压，电压为＿＿＿＿＿＿ V，CP 端电压正常。

4）检查充电枪 CC 端子与 PE 搭铁端子电阻，检测结果为＿＿＿＿＿＿ kΩ，按下充电枪按钮检查结果为 3.3kΩ，CC 端子不正常。

5）分解充电枪进行检查，发现充电枪按钮＿＿＿＿＿＿＿＿＿。

6）更换充电枪损坏内部锁止开关，更换完以后重新进行测量，充电枪 CC 端子与 PE 搭铁端子电阻检测结果为＿＿＿＿＿＿ kΩ，按下充电枪按钮检查结果为＿＿＿＿＿＿ kΩ，CC 端子正常。

4. 确认故障已排除。

将充电枪重新插入充电口，仪表显示充电信息，正常显示充电连接符号，慢充正常，故障排除。

5. 诊断结论。

综合上述检测结果，判断故障点为：＿＿＿＿＿＿＿＿＿＿＿＿＿＿＿＿＿＿＿＿＿＿＿＿＿＿＿。

四、检查

故障排除后，用故障诊断仪清除故障码，并进行以下检查：

1. 检查仪表是否还有故障提示：_____。
2. 检查高压上电情况：_____。
3. 检查充电情况：_____。

五、评估

1. 请根据自己任务完成的情况，对自己的工作进行自我评估，并提出改进意见。

1) _____
_____
2) _____
_____
3) _____
_____

2. 工单成绩（总分为自我评价、组长评价和教师评价得分值的平均值）。

自 我 评 价	组 长 评 价	教 师 评 价	总　　分

任务工单 2.2

任务名称	交流充电口异常故障诊断与排除	学时		班级	
学生姓名		学生学号		任务成绩	
实训设备、工具及仪器	吉利帝豪 EV450 纯电动汽车 4 台，故障诊断仪 4 个，示波器 4 个，车间防护用具 4 套，个人防护用具 4 套，绝缘工具 4 套，常用检测设备（数字钳形万用表、绝缘电阻测试仪）4 套，故障检测线 4 盒。	实训场地	一体化教室	日期	
客户任务描述	一辆吉利帝豪 EV450 纯电动汽车，客户反映车辆正常上电后，仪表显示正常，充电后，仪表显示充电线连接指示灯点亮、充电指示灯没有点亮，车辆无法充电。经维修技师充电后查看发现，除了客户说的故障现象以外，还发现了充电口上灯光指示不亮，故障诊断仪读取故障码正常。经过维修技师诊断，确认是充电口出现故障，修复后故障现象消失，车辆可以正常充电。				
任务目的	以行动为导向，引导学生制订计划，按照正确诊断流程诊断和修复故障。在此过程中学习相关理论和实践操作技能。				

一、资讯

1. 充电口各端子的意义

CP：_____

CC：_____

N：_____

PE：_____

L：_____

NC1：_____

NC2：_____

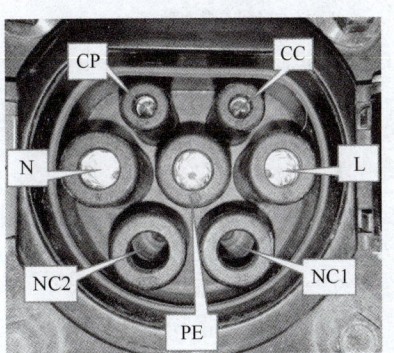

2. 正常充电后仪表显示_____、_____，充电线连接指示灯点亮表示 CC 信号正常，充电指示灯点亮，表示正在充电中。

3. 吉利帝豪 EV450 纯电动汽车充电口灯光指示灯白色表示_____，充电口灯光指示灯绿色闪烁表示_____，充电口灯光指示灯绿色表示_____，充电口灯光指示灯红色表示_____。

4. 交流充电口的故障主要包含_____、_____、_____等。

5. 吉利帝豪 EV450 纯电动汽车故障诊断前需_____操作，下电流程：_____
_____。

二、计划与决策

请根据故障现象和任务要求，确定所需要的检测仪器、工具，并对小组成员进行合理分工，制订详细的诊断和修复计划。

1. 需要的检测仪器、工具及防护用具。

2. 小组成员分工。

3. 诊断和修复计划。

三、实施

1. 填写车辆信息。
整车型号：_____工作电压：_____动力蓄电池容量：_____
车辆识别代码：_____电机型号：_____里程表读数：_____。

2. 故障现象确认。
根据客户描述的故障现象，检查充电时组合仪表的故障提示，发现_____指示灯点亮，_____指示灯没有点亮。

3. 连接故障诊断仪。
关闭点火开关，将故障诊断仪与车辆_____诊断口连接。

4. 故障码及数据流的读取。
车辆上电，使用故障诊断仪对帝豪 EV450 纯电动汽车进行故障码和数据流的读取，读取后发现_____。

5. 确定故障范围。
查阅吉利帝豪 EV450 纯电动汽车交流充电口电路图，确定故障范围为汽车交流充电口_____、_____、_____等，根据故障范围找到交流充电口 CC 信号线从 BV24/6 号端子到_____号端子，交流充电口 CP 信号线从 BV24/7 号端子到_____号端子。

6. 基本检查。
断开蓄电池负极，等待_____min，进行基本检查，BV10 插接器、BV24_____及连接情况是否正常。

7. 部件/电路测试。
1) 用数字钳形万用表检查充电口 CC 至 BV10/39 号端子，发现充电口 CC 至 BV10/39 阻值_____。

2）用数字钳形万用表检查充电口 CP 至 BV10/50 号端子，发现充电口 CP 至 BV10/50 阻值_____。

8. 部件/电路复查。

故障排除，再次用数字钳形万用表检查充电口 CP 至 BV10/50 号端子，发现充电口 CP 至 BV10/50 阻值_____。

9. 确认故障已排除。

车辆充电，仪表显示_____和_____。

10. 诊断结论。

综合上述检测结果，判断故障点为：_____。

四、检查

故障排除后，用故障诊断仪清除故障码，并进行以下检查：

1. 检查仪表是否还有故障提示：_____。
2. 检查高压上电情况：_____。
3. 检查充电情况：_____。

五、评估

1. 请根据自己任务完成的情况，对自己的工作进行自我评估，并提出改进意见。

1) _____

_____

2) _____

_____

3) _____

2. 工单成绩（总分为自我评价、组长评价和教师评价得分值的平均值）。

自我评价	组长评价	教师评价	总　　分

任务工单 2.3

任务名称	车载充电控制系统故障诊断与排除	学时		班级	
学生姓名		学生学号		任务成绩	
实训设备、工具及仪器	吉利帝豪 EV450 纯电动汽车 4 台，故障诊断仪 4 个，示波器 4 个，车间防护用具 4 套，个人防护用具 4 套，绝缘工具 4 套，常用检测设备（数字钳形万用表、绝缘电阻测试仪）4 套，故障检测线 4 盒。	实训场地	一体化教室	日期	
客户任务描述	一辆吉利帝豪 EV450 纯电动汽车，客户反映车辆充电后，仪表显示充电线连接指示灯、充电指示灯没有点亮，车辆无法充电。经维修技师充电后查看发现，除了客户说的故障现象以外，还发现了车辆系统故障灯点亮。经过维修技师诊断，确认是车载充电控制系统出现故障，修复后故障现象消失，车辆可以正常充电。				
任务目的	以行动为导向，引导学生制订计划，按照正确诊断流程诊断和修复故障。在此过程中学习相关理论和实践操作技能。				

一、资讯

1. 充电的信息首先由_____经过_____发送到_____，然后经过 OBC _____，将信息通过 PCAN 传递给_____，VCU 处理后将信息通过_____传递给 BCM，BCM 通过 VCAN 将信息传递给_____进行显示，因此可以看出，如果仪表盘没有正确地将充电信息显示出来，则故障点包含以上信息所传递的环节。

2. OBC 的故障主要包含_____、_____、_____和 OBC 自身损坏。

3. OBC 供电异常往往是由于 OBC 供电电路故障导致的，例如供电电路_____、_____，熔丝熔断等，当出现这类故障时，需要对 OBC 供电电路进行进一步的检查，以确定故障点位置。

4. OBC 通信故障主要是 OBC 与 VCU 通信及_____与_____的通信，一般的通信故障主要检查_____线是否异常。

5. OBC 自身损坏一般是由外部原因导致的 OBC _____、_____等，该类故障一般不好进行判断，一种办法是，如果对其他故障进行排除后，仍不能解决故障，则可认为是 OBC 损坏。

6. VCU 出现故障时，也会出现动力蓄电池充电_____显示异常。当 VCU 供电异常时，动力蓄电池充电状态也不能正常显示。

二、计划与决策

请根据故障现象和任务要求，确定所需要的检测仪器、工具，并对小组成员进行合理分工，制订详细的诊断和修复计划。

1. 需要的检测仪器、工具及防护用具。

2. 小组成员分工。

3. 诊断和修复计划。

三、实施

1. 填写车辆信息。
整车型号：_____工作电压：_____动力蓄电池容量：_____
车辆识别代码：_____电机型号：_____里程表读数：_____。

2. 故障现象确认。
根据客户描述的故障现象，正常充电后检查组合仪表的故障提示，发现_____指示灯、_____指示灯没有点亮，_____故障灯点亮。

3. 连接故障诊断仪。
关闭点火开关，将故障诊断仪与车辆_____诊断口连接。

4. 故障码及数据流的读取。
1) 车辆上电，使用故障诊断仪对帝豪 EV450 纯电动汽车进行故障码和数据流的读取，读取后发现故障诊断仪不能进入_____。

2) OBC 系统无法进入，更换 VCU 系统进行读取故障码和数据流，读取故障码为_____
_____。

3) 数据流读取_____，_____。在读取数据流时只读取与故障相关的数据流。

4) 确认故障码是否再次出现，并填写结果，需要在 ON 档进行清除并读取。
   □ 无 DTC   □ 有 DTC：_____

5) 通过仪表显示的信息和故障诊断仪所读取的信息，初步判断为_____可能出现故障，故障部位可能是 OBC 系统的_____，由简入难的故障诊断思路，可以先对 OBC 系统的供电进行检查。

5. 确定故障范围。

查阅吉利帝豪 EV450 纯电动汽车 OBC 系统电路图，确定故障范围为 OBC 自身及其相关 ＿＿＿＿＿、＿＿＿＿＿、继电器、＿＿＿＿＿等，根据故障范围找到 OBC 系统供电熔丝为＿＿＿＿＿，供电电路为 B+至＿＿＿＿＿号端子。

6. 基本检查。

断开蓄电池负极，等待＿＿＿＿＿ min，进行基本检查，BV10 插接器＿＿＿＿＿及连接情况是否正常。

7. 部件/电路测试。

1) 检查 EF27 熔丝，目测熔丝正常，再用＿＿＿＿＿万用表检查，发现熔丝两侧针脚的电阻为 0Ω，确定 EF27 熔丝＿＿＿＿＿。

2) 用数字钳形万用表检查供电电路为 B+至＿＿＿＿＿号端子，发现 B+至 BV10/4 的阻值＿＿＿＿＿，为正常阻值。

3) 检查 CAN-H 与 CAN-L 的阻值是＿＿＿＿＿Ω，检查 CAN-H 与 BV10/55 的电阻＿＿＿＿＿Ω，CAN-L 与 BV10/54 的电阻＿＿＿＿＿，为不正常阻值，确定 CAN-L 与 BV10/54 断路。

8. 部件/电路复查。

更换 CAN-L 至 BV10/54 线束，测量 CAN-L 至 BV10/54 电阻＿＿＿＿＿，连接 BV10 插接器，连接蓄电池负极。

9. 确认故障已排除。

车辆充电，仪表显示充电正常，使用故障诊断仪对帝豪 EV450 纯电动汽车进行＿＿＿＿＿和＿＿＿＿＿的读取，OBC 系统显示无故障码。

10. 诊断结论。

综合上述检测结果，判断故障点为：＿＿＿＿＿＿＿＿＿＿＿＿＿＿＿＿＿＿＿＿＿＿＿＿＿＿。

四、检查

故障排除后，用故障诊断仪清除故障码，并进行以下检查：

1. 检查仪表是否还有故障提示：＿＿＿＿＿＿＿＿＿＿＿＿＿＿＿＿＿＿＿＿＿＿＿＿＿＿。

2. 检查高压上电情况：＿＿＿＿＿＿＿＿＿＿＿＿＿＿＿＿＿＿＿＿＿＿＿＿＿＿＿＿＿＿。

3. 检查充电情况：＿＿＿＿＿＿＿＿＿＿＿＿＿＿＿＿＿＿＿＿＿＿＿＿＿＿＿＿＿＿＿＿。

五、评估

1. 请根据自己任务完成的情况，对自己的工作进行自我评估，并提出改进意见。

1) ＿＿＿

2) ＿＿＿

3) ＿＿＿

2. 工单成绩（总分为自我评价、组长评价和教师评价得分值的平均值）。

自我评价	组长评价	教师评价	总　分

任务工单 3.1

任务名称	驱动电机转动异常故障诊断与排除	学时		班级	
学生姓名		学生学号		任务成绩	
实训设备、工具及仪器	吉利帝豪 EV450 纯电动汽车 4 台，故障诊断仪 4 个，示波器 4 个，车间防护用具 4 套，个人防护用具 4 套，绝缘工具 4 套，常用检测设备（数字钳形万用表、绝缘电阻测试仪）4 套，故障检测线 4 盒。	实训场地	一体化教室	日期	
客户任务描述	一辆吉利帝豪 EV450 纯电动汽车，客户反映启动车辆后，挂档踩加速踏板汽车无法行驶。根据客户描述的故障现象，维修顾问将车辆交给维修技师，经维修技师上电查看发现，READY 指示灯正常点亮，把车辆举起，挂档踩下加速踏板，仪表会显示故障提醒警告灯，电机有转动的声音，但是与正常转动声音有所区别。经过维修技师诊断，确认旋变传感器正弦信号线正信号线断路，维修正弦信号线正信号线后故障消失，车辆可以正常行驶。				
任务目的	以行动为导向，引导学生制订计划，按照正确诊断流程诊断和修复故障。在此过程中学习相关理论和实践操作技能。				

一、资讯

1. 旋变传感器安装在_____上，主要作用是检测驱动电机的_____位置信号，并把该信号转变为电信号传递给_____进行解码获得电机转子_____。

2. 驱动电机旋变传感器共 6 根线束，其中 2 根正旋信号线、2 根_____、2 根励磁信号线，当旋变传感器中的正弦信号线、_____、励磁信号线其中的某一根信号线发生故障时，车辆可以正常上高压电，但是挂档踩下加速踏板时旋变传感器会发送给_____一个错误的信号。

3. 电机控制器无法准确地控制驱动电机旋转，_____会将它遇到的问题发送给_____，VCU 会将故障提示发送到仪表，仪表会显示故障提醒警告灯。

4. 使用_____对正弦信号线、余弦信号线、励磁信号线的波形进行检查。

5. 导致驱动电机转动异常的故障主要有旋变传感器电路故障、_____、旋变传感器插接器故障、_____、_____故障等。

6. 检查电机三相高压线束是否正常，检查 U、V、W 三相线束电压值是否正常，还要检测驱动电机_____、_____、_____。最终根据检查结果判定驱动电机是否出现故障，驱动电机本身出现故障一般需要更换整个驱动电机。

二、计划与决策

请根据故障现象和任务要求，确定所需要的检测仪器、工具，并对小组成员进行合理分工，制订详细的诊断和修复计划。

1. 需要的检测仪器、工具及防护用具。

2. 小组成员分工。

3. 诊断和修复计划。

三、实施

1. 填写车辆信息。

整车型号：_____工作电压：_____动力蓄电池容量：_____
车辆识别代码：_____电机型号：_____里程表读数：_____。

2. 故障现象确认。

根据客户描述的故障现象，检查组合仪表的故障提示，READY 指示灯_____点亮，上电挂档踩下加速踏板，_____，_____。

3. 连接故障诊断仪。

关闭点火开关，将故障诊断仪与车辆_____诊断口连接。

4. 故障码及数据流的读取。

1) 车辆上电，使用故障诊断仪对帝豪 EV450 纯电动汽车进行故障码和数据流的读取，读取 PEU 电机控制系统故障码，显示_____，更换_____进行读取故障码和数据流。

2) 确认故障码是否再次出现，并填写结果，需要在 ON 档进行清除并读取。

□ 无 DTC   □ 有 DTC：_____

5. 确定故障范围。

根据故障码和数据流，查阅吉利帝豪 EV450 纯电动汽车旋变传感器电路图，确定的故障范围是旋变传感器本身及其相关_____、_____等。

6. 基本检查。

断开蓄电池负极，等待_____min，进行基本检查，_____插接器外观及连接情况是否正常。

7. 部件/电路测试。

1) 检查发现_____故障，使用_____测试正弦信号波形，波形异常，根据波形结果判断，可能是_____线束出现故障。

2）检查电机控制器 BV11 与旋变传感器 BV13 之间的_____线束，使用万用表电阻档，检查 BV11/23 至 BV13/8 之间的电阻，电阻正常。

8. 部件/电路复查。

再次使用_____检测正弦信号波形正常，故障修复。

9. 确认故障已排除。

车辆上电，使用故障诊断仪对帝豪 EV450 纯电动汽车进行故障码和数据流的读取，_____显示无故障码，确认故障已排除。

10. 诊断结论。

综合上述检测结果，判断故障点为：_____。

四、检查
故障排除后，用故障诊断仪清除故障码，并进行以下检查：

1. 检查仪表是否还有故障提示：_____。
2. 检查高压上电情况：_____。
3. 检查充电情况：_____。

五、评估
1. 请根据自己任务完成的情况，对自己的工作进行自我评估，并提出改进意见。

1）_____

_____

2）_____

_____

3）_____

2. 工单成绩（总分为自我评价、组长评价和教师评价得分值的平均值）。

自 我 评 价	组 长 评 价	教 师 评 价	总　　分

任务工单 3.2

任务名称	功率限制指示灯点亮故障诊断与排除	学时		班级	
学生姓名		学生学号		任务成绩	
实训设备、工具及仪器	吉利帝豪 EV450 纯电动汽车 4 台，故障诊断仪 4 个，示波器 4 个，车间防护用具 4 套，个人防护用具 4 套，绝缘工具 4 套，常用检测设备（数字钳形万用表、绝缘电阻测试仪）4 套，故障检测线 4 盒。	实训场地	一体化教室	日期	
客户任务描述	一辆吉利帝豪 EV450 纯电动汽车，客户反映启动车辆后，车辆行驶中制动踏板踩下去比较费力，车速仪表最高到 30km/h。经维修技师上电查看发现，READY 指示灯正常点亮，行驶时加速踏板踩到底车速最高到 30km/h，仪表功率限制指示灯亮，没有听到电动真空泵工作的声音。经过维修技师诊断，确认是电动真空泵 EF05 熔丝熔断，更换 EF05 熔丝，故障现象消失，车辆可以正常行驶。				
任务目的	以行动为导向，引导学生制订计划，按照正确诊断流程诊断和修复故障。在此过程中学习相关理论和实践操作技能。				

一、资讯

1. 仪表盘上的功率限制指示灯点亮，一般有两种情况，一种是_____，需停车并使电机降温，另一种是_____出现故障，制动无助力。

2. 电动真空泵_____检测真空罐里的压力，将信号传给电子稳定控制系统（ESC），ESC 接收到真空压力传感器信号，控制_____工作。

3. 电动真空泵出现故障时，真空压力传感器检测到错误的压力，将错误的信号传递给_____，ESC 认为电动真空泵出现故障，将信号传递给_____，BCM 再将信号传递给_____，仪表会显示_____。

4. 电动真空泵出现故障，制动系统没有助力，只是靠人给的力量制动，车速过高会出现_____，这是非常危险的，电动真空泵出现故障，BCM 会将信号传递给_____，VCU 将会限制电机和车速，使电机转速和车速在_____以内。

5. 仪表盘上的功率限制指示灯点亮,在炎热的天气进行长途爬坡,车辆处于停停走走的交通状态,急加速、_____,车辆长时间运行,拖曳挂车时,仪表盘上的功率限制指示灯点亮,则说明电机或_____温度过高(超出正常范围),导致电机功率受到限制而_____。

6. 驱动电机转子高速旋转会产生_____,热量通过机体传递,如果不加以降温,驱动电机无法正常工作,因此驱动电机机体内设置有冷却液道,通过冷却液的循环与外界进行热交换,这样能将驱动电机的工作温度保持在一定_____内,防止驱动电机过热。

二、计划与决策

请根据故障现象和任务要求,确定所需要的检测仪器、工具,并对小组成员进行合理分工,制订详细的诊断和修复计划。

1. 需要的检测仪器、工具及防护用具。

2. 小组成员分工。

3. 诊断和修复计划。

三、实施

1. 填写车辆信息。
整车型号:_____工作电压:_____动力蓄电池容量:_____
车辆识别代码:_____电机型号:_____里程表读数:_____。

2. 故障现象确认。
根据客户描述的故障现象,检查组合仪表的故障提示,READY 指示灯_____,行驶时加速踏板踩到底车速最高到_____,仪表_____,没有听到电动真空泵工作的声音。

3. 连接故障诊断仪。
关闭点火开关,将故障诊断仪与车辆_____诊断口连接。

4. 故障码及数据流的读取。
车辆上电,使用故障诊断仪对帝豪 EV450 纯电动汽车进行故障码和数据流的读取,读取 BCM 故障码和数据流,读取故障码为_____。通过仪表显示的信息和故障诊断仪所读取的信息,初步判断为电动真空泵系统可能出现故障,故障部位可能是_____、电路等,由简入难的故障诊断思路,可以先对_____电路进行检查。

5. 确定故障范围。
查阅吉利帝豪 EV450 纯电动汽车电动真空泵控制电路图,确定故障范围,电动真空泵及其相关电路、熔丝、_____、_____等,根据故障范围找到电动真空泵控制电路供电熔丝 EF05 为_____ A,电动真空泵控制供电电路为 B+至_____号端子。

6. 基本检查。
断开蓄电池负极,等待 5min,进行基本检查,_____熔丝外观及连接情况是否正常。

7. 部件/电路测试。

1）连接蓄电池负极，使用万用表检查_____熔丝上游电压，标准电压应为蓄电池电压，实测电压为_____。

2）断开蓄电池负极，检查 EF05 熔丝，拔下 EF05 熔丝，目测检查，发现熔丝_____。使用万用表检查 EF05 熔丝_____，标准电阻小于 1Ω，实测电阻为_____，熔丝故障，更换相同大小的熔丝。

8. 部件/电路复查。

更换_____A 的 EF05 熔丝，测量熔丝通断电阻为_____。

9. 确认故障已排除。

车辆上电，使用故障诊断仪对帝豪 EV450 纯电动汽车进行故障码和数据流的读取，VCU 显示_____，确认故障已排除。

10. 诊断结论。

综合上述检测结果，判断故障点为：_____。

四、检查

故障排除后，用故障诊断仪清除故障码，并进行以下检查：

1. 检查仪表是否还有故障提示：_____。
2. 检查高压上电情况：_____。
3. 检查充电情况：_____。

五、评估

1. 请根据自己任务完成的情况，对自己的工作进行自我评估，并提出改进意见。

1）_____

2）_____

3）_____

2. 工单成绩（总分为自我评价、组长评价和教师评价得分值的平均值）。

自我评价	组长评价	教师评价	总　分

任务工单 3.3

任务名称	电机控制器无法通信故障诊断与排除	学时		班级	
学生姓名		学生学号		任务成绩	
实训设备、工具及仪器	吉利帝豪 EV450 纯电动汽车 4 台，故障诊断仪 4 个，示波器 4 个，车间防护用具 4 套，个人防护用具 4 套，绝缘工具 4 套，常用检测设备（数字钳形万用表、绝缘电阻测试仪）4 套，故障检测线 4 盒。	实训场地	一体化教室	日期	
客户任务描述	一辆吉利帝豪 EV450 纯电动汽车，客户反映启动车辆后，车辆无法行驶。经维修技师上电查看发现，READY 指示灯没有点亮，蓄电池充电警告灯点亮，系统故障警告灯点亮，故障提醒警告灯点亮，EPB 故障警告灯点亮，ESC 故障警告灯点亮。经过维修技师诊断，确认是 PEU 电机控制系统 EF32 熔丝熔断故障，更换 EF32 熔丝，故障现象消失，车辆可以正常行驶。				
任务目的	以行动为导向，引导学生制订计划，按照正确诊断流程诊断和修复故障。在此过程中学习相关理论和实践操作技能。				

一、资讯

1. 仪表上 READY 指示灯没有点亮，蓄电池充电警告灯点亮，_____，故障提醒警告灯点亮，EPB 故障警告灯点亮，_____，电机控制系统发生故障一般会出现这几个故障指示灯点亮。

2. 根据故障指示灯初步可以判断为电机控制器及其熔丝、_____、电路出现故障，电机控制器出现故障，如果是电源或 PCAN 线故障，_____无法与其他系统进行通信，电机控制器无法进入读取故障码和数据流。

3. 电机控制器电源出现故障，电机控制系统_____工作，电机控制器本身负责车辆的任务也无法进行，这样就使车辆无法上高压电以及_____，电机控制器的电源是由蓄电池提供的，经过 EF32 熔丝、_____、BV01 插接器、_____最终到达电机控制系统。

4. 电机控制器_____出现故障，电机控制器可以正常工作，但是电机控制系统向外传递的所有信号都无法传递到_____，这时整车控制系统就会认为电机控制系统出现故障，不允许全车上高压电。

5. 电机控制器其他线束出现故障或多或少与_____和 PCAN 总线故障的故障现象有所区别，排除故障一定要由简入难。分析出是电机控制器故障，那么首先要检测的故障应该是_____，汽车在工作时，它的电路和_____不宜损坏，_____比较容易出现故障。

二、计划与决策

请根据故障现象和任务要求，确定所需要的检测仪器、工具，并对小组成员进行合理分工，制订详细的诊断和修复计划。

1. 需要的检测仪器、工具及防护用具。

2. 小组成员分工。

3. 诊断和修复计划。

三、实施

1. 填写车辆信息。
整车型号：_____ 工作电压：_____ 动力蓄电池容量：_____
车辆识别代码：_____ 电机型号：_____ 里程表读数：_____。

2. 故障现象确认。
根据客户描述的故障现象，检查组合仪表的故障提示，发现 READY 指示灯没有点亮，车辆无法行驶，_____，系统故障警告灯点亮，_____，EPB 故障警告灯点亮，ESC 故障警告灯点亮。

3. 连接故障诊断仪。
关闭点火开关，将故障诊断仪与车辆_____诊断口连接。

4. 故障码及数据流的读取。
1) 车辆上电，使用故障诊断仪对帝豪 EV450 纯电动汽车进行故障码和数据流的读取，读取后发现故障诊断仪不能进入_____。
2) 电机控制器无法进入，更换 VCU 系统进行读取故障码和数据流，读取故障码为_____。
3) 数据流读取剩余电量为_____，动力蓄电池总电压为_____，通过仪表显示的信息和故障诊断仪所读取的信息，初步判断为电机控制器可能出现故障，故障部位可能是电机控制器的供电和通信，由简入难的故障诊断思路，可以先对电机控制器供电进行检查。

5. 确定故障范围。
查阅吉利帝豪 EV450 纯电动汽车电机控制系统电路图，确定故障范围为电机控制系统自身及其相关电路、_____、_____、插接器等，根据故障范围找到电机控制系统模块供电熔丝为 EF32，供电电路为 B+至_____号端子。

6. 基本检查。

断开蓄电池负极,等待_____min,进行基本检查,BV11插接器_____及连接情况是否正常。

7. 部件/电路测试。

检查EF32熔丝,目测熔丝熔断,再用_____万用表检查,发现熔丝两侧端子电阻为OL,确定EF32熔丝_____。

8. 部件/电路复查。

更换_____A的EF32熔丝,测量_____号针脚电压为当前蓄电池电压。

9. 确认故障已排除。

车辆上电,使用故障诊断仪对帝豪EV450纯电动汽车进行故障码和数据流的读取,电机控制系统显示_____,确认故障已排除。

10. 诊断结论。

综合上述检测结果,判断故障点为:_____。

四、检查

故障排除后,用故障诊断仪清除故障码,并进行以下检查:

1. 检查仪表是否还有故障提示:_____。
2. 检查高压上电情况:_____。
3. 检查充电情况:_____。

五、评估

1. 请根据自己任务完成的情况,对自己的工作进行自我评估,并提出改进意见。

1) _____

2) _____

3) _____

2. 工单成绩(总分为自我评价、组长评价和教师评价得分值的平均值)。

自 我 评 价	组 长 评 价	教 师 评 价	总　　分

任务工单 4.1

任务名称	VCU 与其他控制系统无法通信故障诊断与排除	学时		班级	
学生姓名		学生学号		任务成绩	
实训设备、工具及仪器	吉利几何 G6 纯电动汽车 4 台，故障诊断仪 4 个，示波器 4 个，车间防护用具 4 套，个人防护用具 4 套，绝缘工具 4 套，常用检测设备（数字钳形万用表、绝缘电阻测试仪）4 套，故障检测线 4 盒。	实训场地	一体化教室	日期	
客户任务描述	一辆吉利几何 G6 纯电动汽车，客户反映仪表很多灯点亮，车辆无法行驶。经维修技师上电查看发现踩下制动踏板车辆处于 ON 档，ESC 故障警告灯点亮，车道保持辅助系统故障警告灯点亮，陡坡缓降控制系统故障警告灯点亮，自动紧急制动系统故障警告灯点亮，系统故障警告灯点亮，自动驻车状态警告灯点亮，EBD 故障警告灯点亮，电子驻车制动系统故障警告灯点亮，踩下制动踏板无法挂上 D 位或 R 位，运行准备就绪指示灯 READY 无法点亮。经过维修技师诊断排除，确认是 VCU 的 HB CAN 总线通信故障，更换 HB CAN 总线后故障现象消失，车辆可以正常行驶。				
任务目的	以行动为导向，引导学生制订计划，按照正确诊断流程诊断和修复故障。在此过程中学习相关理论和实践操作技能。				

一、资讯

1. 踩下制动踏板车辆处于 ON 档，_____ 故障警告灯点亮，车道保持辅助系统故障警告灯点亮，陡坡缓降控制系统故障警告灯点亮，_____ 故障警告灯点亮，_____ 警告灯点亮，自动驻车状态警告灯点亮，_____ 故障警告灯点亮，电子驻车制动系统故障警告灯点亮，踩下制动踏板无法挂上 _____，运行准备就绪指示灯 _____ 无法点亮。

2. 根据故障指示灯及故障码和数据流初步可以判断为 _____ 及其熔丝、_____、电路出现故障，VCU 出现故障，如果是电源或 HB CAN 总线通信故障，_____ 无法与其他系统进行通信，VCU 无法进入读取故障码和数据流，需要在其他系统读取 VCU 故障码和数据流，如果不是电源或 _____ 总线故障，那么 VCU 就可以读取故障码和数据流。

3. VCU 无法通信故障主要包括 VCU 本身、_____ 和 _____ 等。

4. VCU 电源出现故障，VCU _____，VCU 与车辆所有 _____、网关、转向盘转角、前单目摄像头、安全气囊控制模块、自动泊车模块、组合开关等系统通信，VCU 出现故障后无法给出 _____、转向盘转角、组合开关等信号，VCU 出现无法与其他系统通信的故障。

5. 通过电路图可以看出 VCU 有 _____ 总线和 _____ 总线，VCU 与高压控制器通信是 _____ 总线，VCU 与转向盘转角、前单目摄像头、安全气囊控制等模块通信是 _____ 总线。

6. VCU 故障主要是 VCU 电源、_____ 总线、CS CAN 总线、_____ 等故障。

7. VCU 的 HB CAN 总线出现故障，_____ 可以正常工作，但是 VCU 无法与其他高压控制器进行通信，这时其他 _____ 会失去与 VCU 通信，其他高压控制器 _____，同时整车控制系统还要向 _____ 发送 VCU 与其他系统失去通信的信息，网关会将故障显示在仪表上。

8. VCU 电源出现故障与 HB CAN 总线出现故障还有区别，VCU 有两根电源线，一根电源线是 _____，另外一根电源线是由 _____ 供电，当 B+ 这根电源线出现故障，与 VCU 的 _____ 故障现象是一样的，但是 IG1 供电线出现故障，故障现象与 VCU 的 HB CAN 总线故障现象完全不一样，并且 VCU 使用 _____ 可以进入读取故障码。

9. VCU 系统其他线束出现故障或多或少与 _____ 故障的故障现象有所区别，排除故障一定要由简易难，分析出是 _____，那么首先要检测的故障应该是 VCU 系统的 _____，汽车在工作时它的电路和原件不宜损坏，_____ 比较容易出现故障。

二、计划与决策

请根据故障现象和任务要求，确定所需要的检测仪器、工具，并对小组成员进行合理分工，制订详细的诊断和修复计划。

1. 需要的检测仪器、工具及防护用具。

2. 小组成员分工。

3. 诊断和修复计划。

三、实施

1. 填写车辆信息。

整车型号：_____ 工作电压：_____ 动力蓄电池容量：_____

车辆识别代码：_____ 电机型号：_____ 里程表读数：_____。

2. 故障现象确认。

根据客户描述的故障现象，检查组合仪表的故障提示，发现 READY 指示灯没有点亮，踩下制动踏板车辆处于 ON 档，ESC 故障警告灯点亮，_____，_____，自动紧急制动系统故障警告灯点亮，_____，自动驻车状态警告灯点亮，EBD 故障警告灯点亮，电子驻车制动系统故障警告灯点亮，踩下制动踏板无法挂上 _____。

3. 连接故障诊断仪。

关闭点火开关,将故障诊断仪与车辆_____诊断口连接。

4. 故障码及数据流的读取。

1)车辆上电,使用故障诊断仪对吉利几何 G6 进行故障码和数据流的读取,读取后发现故障诊断仪不能进入_____。

2)VCU 无法进入,更换网关系统进行读取故障码和数据流,读取故障码为_____。

3)通过仪表显示的信息和故障诊断仪所读取的信息,初步判断为 VCU 可能出现故障,故障部位可能是_____。

5. 确定故障范围。

查阅吉利几何 G6 纯电动汽车 VCU 电路图,确定故障范围 VCU 自身及其相关_____、_____、继电器、_____等,根据故障范围找到 VCU 与其他高压控制器通信的 HB CAN 总线是_____和_____。

6. 基本检查。

断开蓄电池负极,等待_____min,进行基本检查,CA66a 插接器_____及连接情况是否正常。

7. 部件/电路测试。

1)断开_____、_____和_____插接器,使用万用表电阻档检查_____之间电阻,电阻正常。

2)用万用表电阻档检查_____之间电阻,标准值小于 1Ω,实测值大于 1Ω,阻值异常。再次使用万用表检查_____之间的电阻,测量电阻小于 1Ω,阻值正常。

3)根据检测结果判断_____至中间铰链接电路断路,对断路 HB CAN 总线进行维修。

8. 部件/电路复查

1)维修完成后,用万用表电阻档检查_____之间电阻,测量结果小于_____,阻值正常,复查 HB CAN 总线故障排除。

2)连接_____、_____和_____插接器,连接蓄电池负极。

9. 确认故障已排除。

车辆上电,使用故障诊断仪对吉利几何 G6 进行_____和_____的读取,整车控制系统显示无故障码,确认故障已排除。

10. 诊断结论。

综合上述检测结果,判断故障点为:_____。

四、检查

故障排除后,用故障诊断仪清除故障码,并进行以下检查:

1. 检查仪表是否还有故障提示:_____。

2. 检查高压上电情况:_____。

3. 检查充电情况:_____。

五、评估

1. 请根据自己任务完成的情况,对自己的工作进行自我评估,并提出改进意见。

1)_____
_____

2)_____
_____

3) _____

2. 工单成绩（总分为自我评价、组长评价和教师评价得分值的平均值）。

自我评价	组长评价	教师评价	总　　分

任务工单 4.2

任务名称	整车热管理系统故障诊断与排除	学时		班级	
学生姓名		学生学号		任务成绩	
实训设备、工具及仪器	吉利帝豪 EV450 纯电动汽车 4 台,故障诊断仪 4 个,示波器 4 个,车间防护用具 4 套,个人防护用具 4 套,绝缘工具 4 套,常用检测设备(数字钳形万用表、绝缘电阻测试仪)4 套,故障检测线 4 盒。	实训场地	一体化教室	日期	
客户任务描述	一辆吉利帝豪 EV450 纯电动汽车,客户反映启动车辆后,车辆无法行驶。经维修技师上电查看发现,READY 指示灯没有点亮,蓄电池充电警告灯点亮,系统故障警告灯点亮。经过维修技师诊断,确认是 ER05 主继电器开关故障,更换 ER05 主继电器后故障现象消失,车辆可以正常行驶。				
任务目的	以行动为导向,引导学生制订计划,按照正确诊断流程诊断和修复故障。在此过程中学习相关理论和实践操作技能。				

一、资讯

1. 整车热管理系统分为驾驶室热管理、_____、_____三个部分。
2. 动力冷却系统的作用是对_____、_____、控制器及充电机等车辆关键部件进行冷却或加热,使其保持在适当工作温度范围内,冷却或加热性能直接影响零部件的性能表现,对于提升_____有着重要意义。
3. 电驱系统回路热管理主要包括_____、充电机以及_____;散热部件的进水顺序为散热器出水—电机控制器—DC/DC—_____,电机流出的较高温度冷却液通过散热器与_____经过降温的冷却液再流经_____,达到冷却的目的。
4. BMS 回路热管理控制策略是:车辆在交流充电、_____、_____、行车过程中(包括车速为 0)都可以启动热管理对动力蓄电池加热或冷却。
5. 在冷却系统中,BMS 根据单节电池_____(下面简称电池最高温度)发送热管理控制信号,包括"冷却匀热"和_____。

6. 在加热系统中，BMS 根据单节电池_____（下面简称电池最高温度）发送热管理控制信号，包括"加热匀热"和_____。

7. 快充及慢充：VCU 直接转发 BMS 的_____请求；行车状态下，VCU 接收到_____发送的加热需求后，需要根据当前_____、_____、车速等条件进行再次逻辑判断，从而发送不同热管理请求至____控制器；车辆处于_____档，非充电状态下时，当动力蓄电池单体温度超过上限值_____，车辆不进行动力蓄电池冷却。

8. 整车热管理系统出现故障，根据故障现象、_____判断是整车热管理系统出现故障，还是整车热管理其中的一个系统出现故障，_____不工作，找出整车热管理系统共同点，比如主继电器如果出现故障，整车热管理系统不能工作，通过冷却系统_____可以分析出。

9. 通过冷却系统电路图可以看出，_____工作，如果主继电器出现故障，车辆无法上_____，因驱动电机和动力蓄电池等一些冷却高压部件在工作过程中无法冷却，高压部件冷却不到易发生安全故障，这时_____不允许上高压电，并将检测到的故障报给_____，BCM 会将故障显示到仪表上。

二、计划与决策

请根据故障现象和任务要求，确定所需要的检测仪器、工具，并对小组成员进行合理分工，制订详细的诊断和修复计划。

1. 需要的检测仪器、工具及防护用具。

2. 小组成员分工。

3. 诊断和修复计划。

三、实施

1. 填写车辆信息。

整车型号：_____ 工作电压：_____ 动力蓄电池容量：_____

车辆识别代码：_____ 电机型号：_____ 里程表读数：_____。

2. 故障现象确认。

根据客户描述的故障现象，检查组合仪表的故障提示，发现 READY 指示灯没有点亮，_____，系统故障警告灯点亮。

3. 连接故障诊断仪。

关闭点火开关，将故障诊断仪与车辆_____诊断口连接。

4. 故障码及数据流的读取。

1）车辆上电，使用_____对帝豪 EV450 纯电动汽车进行 VCU 故障码和数据流的读取，读取 VCU 故障码为_____故障。

2）数据流读取_____信号故障，通过仪表显示的信息和故障诊断仪所读取的信息，初步判断为_____可能出现故障。

3）故障部位可能是_____本身及电路，由简入难的故障诊断思路，先检测 ER05 主继电器_____电路，然后检查 ER05 主继电器本身。

5. 确定故障范围。

查阅吉利帝豪 EV450 纯电动汽车热管理冷却系统电路图，确定故障范围为 ER05 主继电器自身及其相关_____、_____、继电器、_____等，根据故障范围找到 ER05 主继电器供电电路，供电电路为_____。

6. 基本检查。

断开蓄电池负极，等待_____min，进行基本检查，ER05 主继电器_____及连接情况是否正常。

7. 部件/电路测试。

1) 连接蓄电池负极，检查蓄电池_____，检查 ER05 主继电器_____，使用万用表检查_____、_____号端子供电电压为蓄电池电压，电压正常。

2) 断开蓄电池负极，拔下 ER05 主继电器，检测 ER05 主继电器_____，_____正常，静态检查 ER05 主继电器_____，电阻_____，为正常。

3) 动态检查 ER05 主继电器开关，将 ER05 主继电器_____与_____通电，检测开关电阻，标准值小于 1Ω，实测值大于 1Ω，根据检测结果判断_____，更换_____。

8. 部件/电路复查。

1) 将 ER05 主继电器_____号端子与_____号端子通电，检测开关电阻，标准值小于 1Ω，实测值小于 1Ω，正常。

2) 连接 ER05 主继电器，连接蓄电池_____。

9. 确认故障已排除。

车辆上电，使用故障诊断仪对帝豪 EV450 纯电动汽车进行_____和_____的读取，整车控制系统显示无故障码，确认故障已排除。

10. 诊断结论。

综合上述检测结果，判断故障点为：_____。

四、检查

故障排除后，用故障诊断仪清除故障码，并进行以下检查：

1. 检查仪表是否还有故障提示：_____。
2. 检查高压上电情况：_____。
3. 检查充电情况：_____。

五、评估

1. 请根据自己任务完成的情况，对自己的工作进行自我评估，并提出改进意见。

1) _____

2) _____

3) _____

2. 工单成绩（总分为自我评价、组长评价和教师评价得分值的平均值）。

自 我 评 价	组 长 评 价	教 师 评 价	总　　分

任务工单 4.3

任务名称	高压互锁故障诊断与排除	学时		班级	
学生姓名		学生学号		任务成绩	
实训设备、工具及仪器	吉利帝豪 EV450 纯电动汽车 4 台，故障诊断仪 4 个，示波器 4 个，车间防护用具 4 套，个人防护用具 4 套，绝缘工具 4 套，常用检测设备（数字钳形万用表、绝缘电阻测试仪）4 套，故障检测线 4 盒。	实训场地	一体化教室	日期	
客户任务描述	一辆吉利帝豪 EV450 纯电动汽车，客户反映启动车辆后，车辆无法行驶。经维修技师上电查看发现，READY 指示灯没有点亮，蓄电池充电警告灯点亮，系统故障警告灯点亮。经过维修技师诊断，确认是 VCU 与 PTC 加热控制器之间的高压互锁电路断路故障，维修后故障现象消失，车辆可以正常行驶。				
任务目的	以行动为导向，引导学生制订计划，按照正确诊断流程诊断和修复故障。在此过程中学习相关理论和实践操作技能。				

一、资讯

1. 高压互锁是指通过使用_____来检查电动汽车上所有与_____母线相连的各分路，包括整个动力蓄电池系统导线、_____、_____、_____及保护盖等系统回路的电气连接完整性，低压信号沿着闭合的低压回路传递，低压信号中断说明某一个高压插接器有_____。

2. 目前整车高压互锁一般由_____完成检测。

3. 从系统功能安全的角度出发，每个可能存在的风险都需要配置相应的_____手段予以监测，以降低_____发生的概率。

4. 高压互锁，作为电动汽车_____的一个安全措施，在电路设计中使用。

5. 电动汽车高压系统的风险点之一，是_____，汽车失去动力。可能造成汽车失去动力的原因有几种，其中之一就是_____。高压互锁可以监测到这种迹象，并在_____之前给 VCU 提供_____信息，预留整车控制系统采取应对措施的时间。

6. 吉利帝豪 EV450 纯电动汽车的高压互锁分为动力蓄电池内部_____互锁、_____互锁。动力蓄电池内部环路互锁由 BMS 单独检测，通过_____发送至整车网络由 VCU 根据故障等级进行相应操作。外部高压插件环路由_____检测，并根据_____进行相应操作。

7. 如果高压互锁出现故障，整车是_____，VCU 检测不到_____信号，就会将整个车辆高压电断开，并将检测到的故障发送到_____，由 BCM 传到仪表显示故障现象。

8. 外部高压插件环路由_____、_____、_____、空调压缩机、PTC 加热控制器组成。

9. 高压互锁由 VCU 发出信号经过_____、_____、_____、PTC 加热控制器回到 VCU。如果中间哪个系统的高压互锁不正常，那么 VCU 将接收不到_____信号，VCU 将_____，报故障。

二、计划与决策

请根据故障现象和任务要求，确定所需要的检测仪器、工具，并对小组成员进行合理分工，制订详细的诊断和修复计划。

1. 需要的检测仪器、工具及防护用具。

2. 小组成员分工。

3. 诊断和修复计划。

三、实施

1. 填写车辆信息。
整车型号：_____ 工作电压：_____ 动力蓄电池容量：_____
车辆识别代码：_____ 电机型号：_____ 里程表读数：_____。

2. 故障现象确认。
根据客户描述的故障现象，检查组合仪表的故障提示，发现_____指示灯没有点亮，蓄电池充电_____灯点亮，系统故障警告灯点亮。

3. 连接故障诊断仪。
关闭点火开关，将故障诊断仪与车辆_____诊断口连接。

4. 故障码及数据流的读取。
1）车辆上电，使用故障诊断仪对帝豪 EV450 纯电动汽车进行故障码和数据流的读取，读取 VCU 故障码为_____、_____。
2）数据流读取_____、_____、_____。

5. 确定故障范围。
初步判断为_____出现故障，故障范围为_____、_____，高压互锁回路及其_____。

6. 基本检查。
断开蓄电池负极，等待____ min，进行基本检查，____、____、____、____插接器外观及连接情况是否正常。

7. 部件/电路测试。
1）查阅吉利帝豪 EV450 纯电动汽车高压互锁电路图，检测高压回路_____之间的电阻，阻值应小于1Ω，实测阻值大于1Ω，_____回路发生故障。
2）查阅吉利帝豪 EV450 纯电动汽车高压互锁电路图，检测_____之间的电阻，标准值小于1Ω，实测值小于1Ω，正常，检测_____之间的电阻，标准值小于____Ω，实测值大于1Ω，_____。
3）查阅电路图，检测_____之间的电阻，标准值小于1Ω，实测值大于1Ω，电路故障，维修_____之间电路，故障排除。

8. 部件/电路复查。
1）维修完成再次检测_____之间的电阻，阻值_____。
2）连接插接器，连接蓄电池负极。

9. 确认故障已排除。
车辆上电，使用故障诊断仪对帝豪 EV450 纯电动汽车进行_____和_____的读取，VCU 显示无故障码，确认故障已排除。

10. 诊断结论。
综合上述检测结果，判断故障点为：_____。

四、检查
故障排除后，用故障诊断仪清除故障码，并进行以下检查：
1. 检查仪表是否还有故障提示：_____。
2. 检查高压上电情况：_____。
3. 检查充电情况：_____。

五、评估
1. 请根据自己任务完成的情况，对自己的工作进行自我评估，并提出改进意见。
1）_____
_____
2）_____
_____
3）_____
_____

2. 工单成绩（总分为自我评价、组长评价和教师评价得分值的平均值）。

自 我 评 价	组 长 评 价	教 师 评 价	总　　分

任务工单 5.1

任务名称	BCM 供电不正常故障诊断与排除	学时		班级	
学生姓名		学生学号		任务成绩	
实训设备、工具及仪器	吉利帝豪 EV450 纯电动汽车 4 台，故障诊断仪 4 个，示波器 4 个，车间防护用具 4 套，个人防护用具 4 套，绝缘工具 4 套，常用检测设备（数字钳形万用表、绝缘电阻测试仪）4 套，故障检测线 4 盒。	实训场地	一体化教室	日期	
客户任务描述	一辆吉利帝豪 EV450 纯电动汽车，客户反映启动车辆后，汽车没有任何反应，仪表上只有一个小汽车亮了。经维修技师上电查看发现 READY 指示灯没有点亮，应急灯一直闪烁，仪表上除了小汽车点亮及驻车灯点亮，其他信息没有任何显示，车外灯光可以正常点亮，仪表灯光符号正常显示。经过维修技师诊断，确认是 BCM IF01 熔丝熔断，更换 IF01 熔丝，故障现象消失，车辆可以正常行驶。				
任务目的	以行动为导向，引导学生制订计划，按照正确诊断流程诊断和修复故障。在此过程中学习相关理论和实践操作技能。				

一、资讯

1. BCM 的功能包括_____、中控门锁控制、_____、灯光系统控制、_____加热控制、_____调节、电源分配等。

2. BCM 出现故障，故障现象是车辆仪表上_____指示灯没有点亮，应急灯一直闪烁，仪表上除了小汽车点亮及_____点亮，其他信息没有任何显示，_____可以正常点亮，仪表灯光符号正常显示，这种故障现象一般是_____发生故障。根据故障指示灯和故障码，初步可以判断为 BCM 车内和车外_____电源、BCM 电源、_____出现故障。

3. 车外灯光电源出现故障的原因主要是_____控制板、电路和_____等，车外灯光控制电路是由_____控制的。当车外灯光控制电路_____出现故障，BCM 会报出相对应的故障，但是_____正常使用，因 BCM 没有车外灯光控制电源，那么 BCM 会使用其他系统的_____来供给车外灯光系统。

4. 车内灯光电源出现故障的原因主要是 BCM 控制板、_____和熔丝等，车内灯光控制电路是由_____控制的。当车内灯光控制电路_____出现故障，BCM 会报出相对应的故障。车内灯光控制电源与车外灯光控制电源故障现象有所区别，车外灯光控制电源故障现象是打开灯光车外灯光_____正常点亮，仪表灯光符号_____显示，但是车内灯光控制电源故障现象是_____正常点亮车外灯光，仪表灯光符号_____正常显示。

5. BCM 电源及本身出现故障，车辆_____指示灯没有点亮，应急灯一直闪烁，仪表上除了小汽车点亮及_____点亮，其他信息没有任何显示，车外灯光可以正常点亮，仪表灯光符号正常显示，但是故障现象会比 BCM 车外和车内灯光控制电源要多，故障码也有所区别。

二、计划与决策

请根据故障现象和任务要求，确定所需要的检测仪器、工具，并对小组成员进行合理分工，制订详细的诊断和修复计划。

1. 需要的检测仪器、工具及防护用具。

2. 小组成员分工。

3. 诊断和修复计划。

三、实施

1. 填写车辆信息。
整车型号：_____ 工作电压：_____ 动力蓄电池容量：_____
车辆识别代码：_____ 电机型号：_____ 里程表读数：_____。

2. 故障现象确认。
根据客户描述的故障现象，检查组合仪表的故障提示，发现_____指示灯没有点亮，应急灯一直闪烁，仪表上除了_____点亮及驻车灯点亮，其他信息没有任何显示，_____可以正常点亮，_____符号正常显示。

3. 连接故障诊断仪。
关闭点火开关，将故障诊断仪与车辆_____诊断口连接。

4. 故障码及数据流的读取。
1）车辆上电，使用故障诊断仪对帝豪 EV450 纯电动汽车进行故障码和数据流的读取。
2）读取_____故障码和数据流，读取故障码为_____与_____通信丢失、B100E13 右转向灯_____或某个灯泡损坏、B100F13 左转向灯_____或某个灯泡损坏、B128329 IGN1_____控制输出无效等。
3）通过仪表显示的信息和故障诊断仪所读取的信息，初步判断为 BCM_____控制电路可能出现故障，故障部位可能是_____、电路等，由简入难的故障诊断思路，可以先对 BCM 车外灯光控制电路进行检查。

5. 确定故障范围。

　　查阅吉利帝豪 EV450 纯电动汽车＿＿＿＿＿＿＿＿＿＿车外灯光控制电路图，确定故障范围为 BCM 控制板及其相关电路、＿＿＿＿＿＿＿＿＿＿和插接器等，根据故障范围找到 BCM 车外灯光控制电路供电熔丝为＿＿＿＿＿＿＿＿，BCM 车外灯光控制电路供电电路为 B+ 至＿＿＿＿＿＿号端子。

6. 基本检查。

　　断开蓄电池负极，等待＿＿＿＿＿＿ min，进行基本检查，＿＿＿＿＿＿＿＿＿熔丝外观及连接情况是否正常。

7. 部件/电路测试。

　　1）使用万用表检查 IF01 熔丝上游电压，标准电压应为蓄电池电压，实测电压为＿＿＿＿＿＿＿＿。

　　2）检查 IF01 熔丝，拔下 IF01 熔丝，目测检查，发现熔丝＿＿＿＿＿＿＿＿。

　　3）使用万用表检查 IF01 熔丝通断，标准电阻小于 1Ω，实测电阻大于＿＿＿＿＿＿＿Ω，熔丝故障，更换相同大小的熔丝。

8. 部件/电路复查。

　　更换 30A 的 IF01 熔丝，测量熔丝通断，电阻应小于＿＿＿＿＿＿Ω。安装 IF01 熔丝。

9. 确认故障已排除。

　　车辆上电，使用故障诊断仪对帝豪 EV450 纯电动汽车进行＿＿＿＿＿＿＿＿和数据流的读取，BCM 显示无＿＿＿＿＿＿＿＿＿，确认故障已排除。

10. 诊断结论。

　　综合上述检测结果，判断故障点为：＿＿＿＿＿＿＿＿＿＿＿＿＿＿＿＿＿＿＿＿＿＿＿＿＿＿。

四、检查

故障排除后，用故障诊断仪清除故障码，并进行以下检查：

1. 检查仪表是否还有故障提示：＿＿＿＿＿＿＿＿＿＿＿＿＿＿＿＿＿＿＿＿＿＿＿＿＿＿＿＿＿＿。
2. 检查高压上电情况：＿＿＿＿＿＿＿＿＿＿＿＿＿＿＿＿＿＿＿＿＿＿＿＿＿＿＿＿＿＿＿＿＿＿。
3. 检查充电情况：＿＿＿＿＿＿＿＿＿＿＿＿＿＿＿＿＿＿＿＿＿＿＿＿＿＿＿＿＿＿＿＿＿＿＿。

五、评估

1. 请根据自己任务完成的情况，对自己的工作进行自我评估，并提出改进意见。

　　1）＿＿＿

　　2）＿＿＿

　　3）＿＿＿

2. 工单成绩（总分为自我评价、组长评价和教师评价得分值的平均值）。

自 我 评 价	组 长 评 价	教 师 评 价	总　　分

任务工单 5.2

任务名称	BCM 无法通信故障诊断与排除	学时		班级	
学生姓名		学生学号		任务成绩	
实训设备、工具及仪器	吉利几何 G6 纯电动汽车 4 台，故障诊断仪 4 个，示波器 4 个，车间防护用具 4 套，个人防护用具 4 套，绝缘工具 4 套，常用检测设备（数字钳形万用表、绝缘电阻测试仪）4 套，故障检测线 4 盒。	实训场地	一体化教室	日期	
客户任务描述	一辆吉利几何 G6 纯电动汽车，客户反映启动车辆后，仪表显示白屏，车辆无法行驶。经维修技师上电查看发现按动钥匙可以解锁车辆，开门即 ACC，踩下制动踏板车辆处于 ON 档，仪表白屏，多媒体屏正常点亮，空调系统可以正常工作，踩下制动踏板无法挂上 D 位或 R 位，运行准备就绪指示灯 READY 无法点亮，刮水器一直自动工作无法关闭。经过维修技师诊断排除，确认是 BCM 的 CF CAN 总线通信故障，更换 CF CAN 总线后故障现象消失，车辆可以正常行驶。				
任务目的	以行动为导向，引导学生制订计划，按照正确诊断流程诊断和修复故障。在此过程中学习相关理论和实践操作技能。				

一、资讯

1. 按动钥匙可以解锁车辆，开门即_____，踩制动踏板车辆处于 ON 档，仪表_____，多媒体屏正常点亮，空调系统可以正常工作，踩下制动踏板_____，运行准备就绪指示灯 READY _____，刮水器一直自动工作_____，根据故障现象及故障码和数据流初步可以判断为_____本身及其熔丝、_____、电路出现故障。

2. BCM 出现故障，如果是电源或_____总线通信故障，BCM 无法与_____进行通信，BCM 无法进入读取_____和数据流，需要在_____读取 BCM 故障码和数据流，如果不是电源或 CF CAN 线故障，那么 VCU 就可以读取故障码和数据流。

3. BCM 无法与网关通信故障主要有 BCM 本身、_____和电源等故障。

4. 网关出现故障，网关无法正常工作，网关与_____通信无法进行，BCM 接收不到网关的信息，同时网关也接收不到_____的信息，这时网关会将 BCM 的问题通信给 VCU，VCU 就会控制_____无法上高压电，_____会将故障显示到仪表。

5. BCM 的 CF CAN 总线出现故障，BCM 本身正常工作，但是 BCM 无法与热管理控制模块、_____、低速报警控制器、_____等系统进行通信，BCM 是很多低压控制 ECU 的枢纽，如果 BCM 的 CF CAN 总线出现故障，_____就无法接收到_____的信号，网关接收不到信号就无法下达关于 BCM 的相关指令。_____模块的 CF CAN 总线发生故障时，BCM 无法接收和传递给其他系统指令。

二、计划与决策

请根据故障现象和任务要求，确定所需要的检测仪器、工具，并对小组成员进行合理分工，制订详细的诊断和修复计划。

1. 需要的检测仪器、工具及防护用具。

2. 小组成员分工。

3. 诊断和修复计划。

三、实施

1. 填写车辆信息。

整车型号：_____ 工作电压：_____ 动力蓄电池容量：_____

车辆识别代码：_____ 电机型号：_____ 里程表读数：_____。

2. 故障现象确认。

根据客户描述的故障现象，检查组合仪表的故障提示，知道钥匙可以解锁车辆，_____，踩下制动踏板车辆处于 ON 档，_____，多媒体屏正常点亮，空调系统可以正常工作，踩下制动踏板无法挂上_____，运行准备就绪指示灯 READY _____，刮水器一直自动工作_____。

3. 连接故障诊断仪。

关闭点火开关，将故障诊断仪与车辆_____诊断口连接。

4. 故障码及数据流的读取。

1）车辆上电，使用故障诊断仪对吉利几何 G6 进行_____和数据流的读取，读取_____故障码，无法进入系统读取。

2）对_____进行读取故障码和数据流，读取故障码为_____。

3）通过仪表显示的信息和故障诊断仪所读取的信息，初步判断为 BCM 的_____总线可能出现故障。

5. 确定故障范围。

查阅吉利几何 G6 纯电动汽车 BCM 电路图，确定故障范围为_____自身及其相关电路、_____等，根据故障范围找到 BCM 的 CF CAN 总线是_____、IP22b/42，网关端 CA172/1、_____。

6. 基本检查。

断开蓄电池负极，等待_____ min，进行基本检查，_____、IP22b、_____插接器外观及连接情况是否正常。

7. 部件/电路测试。

1）使用万用表电阻档检测_____之间的电阻，电阻正常。用万用表电阻档检测 IP22b/42 至 CA172/1 之间的电阻，标准值小于 1Ω，实测值大于____Ω，阻值异常。

2）使用万用表检测_____之间的电阻，标准值小于 1Ω，实测值大于_____Ω。因空调热管理系统工作正常，根据检测结果判断 IP22b/42 至中间铰链接电路_____，对断路 CF CAN 总线进行维修。

8. 部件/电路复查。

维修完成后，用万用表电阻档检测_____之间的电阻，测量结果小于 1Ω，阻值正常，复查 CF CAN 总线故障排除。

9. 确认故障已排除。

车辆上电，使用故障诊断仪对吉利几何 G6 进行故障码和数据流的读取，_____显示无故障码，确认故障已排除。

10. 诊断结论。

综合上述检测结果，判断故障点为：_____。

四、检查

故障排除后，用故障诊断仪清除故障码，并进行以下检查：

1. 检查仪表是否还有故障提示：_____。
2. 检查高压上电情况：_____。
3. 检查充电情况：_____。

五、评估

1. 请根据自己任务完成的情况，对自己的工作进行自我评估，并提出改进意见。

1）_____

_____

2）_____

_____

3）_____

2. 工单成绩（总分为自我评价、组长评价和教师评价得分值的平均值）。

自 我 评 价	组 长 评 价	教 师 评 价	总　　分

任务工单 6.1

任务名称	低压供电不正常故障诊断与排除	学时		班级	
学生姓名		学生学号		任务成绩	
实训设备、工具及仪器	吉利帝豪 EV450 纯电动汽车 4 台，故障诊断仪 4 个，示波器 4 个，车间防护用具 4 套，个人防护用具 4 套，绝缘工具 4 套，常用检测设备（数字钳形万用表、绝缘电阻测试仪）4 套，故障检测线 4 盒。	实训场地	一体化教室	日期	
客户任务描述	一辆吉利帝豪 EV450 纯电动汽车，客户反映启动车辆后，汽车没有任何反应，只有一个小汽车亮了。经维修技师上电查看应急灯一直闪烁，仪表上除了小汽车点亮及驻车灯点亮，其他信息没有任何显示。经过维修技师诊断，确认是 IG1 继电器线圈断路故障，更换 IG1 继电器，故障现象消失，车辆可以正常行驶。				
任务目的	以行动为导向，引导学生制订计划，按照正确诊断流程诊断和修复故障。在此过程中学习相关理论和实践操作技能。				

一、资讯

1. 给低压供电的是由 BCM 控制的 IG1 继电器，IG1 继电器在电路图中为_____。
2. IG1 继电器 86 号端子通过导线连接_____，85 号端子通过导线_____，30 号端子通过导线连接_____，87 号端子通过导线连接_____，87 号端子也称为负载端子。
3. BCM 控制 IG1 继电器线圈通电，将 IG1 继电器开关_____，通过 87 号端子为低压用电设备供电。
4. IG1 继电器主要给 ACU、驾驶模式开关、环境光及阳光传感器、T-BOX、组合仪表、电动车窗控制模块、空调面板开关、驾驶人座椅加热、自动空调控制面板、前乘员座椅加热、_____、电动转向管柱锁、转向盘转角传感器、全车音响模块、变速器换档开关、EPS 模块、EPB、低速报警、_____、ESC、制动开关、座椅模块供电。
5. 低压供电不正常的故障主要有蓄电池、_____、B+电路、熔丝、_____等。

二、计划与决策

请根据故障现象和任务要求,确定所需要的检测仪器、工具,并对小组成员进行合理分工,制订详细的诊断和修复计划。

1. 需要的检测仪器、工具及防护用具。

2. 小组成员分工。

3. 诊断和修复计划。

三、实施

1. 填写车辆信息。

整车型号:_____ 工作电压:_____ 动力蓄电池容量:_____
车辆识别代码:_____ 电机型号:_____ 里程表读数:_____。

2. 故障现象确认。

根据客户描述的故障现象,检查组合仪表的故障提示,发现_____一直闪烁,仪表上除了小汽车点亮及_____点亮,其他信息没有任何显示。

3. 连接故障诊断仪。

关闭点火开关,将故障诊断仪与车辆_____诊断口连接。

4. 故障码及数据流的读取。

1)使用故障诊断仪对帝豪 EV450 纯电动汽车进行故障码和数据流的读取,读取_____系统故障码,故障码为:_____、_____、_____。

2)通过仪表显示的信息和故障诊断仪所读取的信息,初步判断为_____可能出现故障,由简入难的故障诊断思路,可以先对_____进行检查,然后检查 IG1 继电器。

5. 确定故障范围。

检查蓄电池_____连接情况正常,用万用表测量蓄电池_____正常,查阅吉利帝豪 EV450 纯电动汽车 IG1 继电器电路图,确定故障范围为_____自身及其相关_____、熔丝、_____等,根据故障范围找到 IG1 继电器 30 号端子。

6. 基本检查。

断开蓄电池负极,等待_____ min,进行基本检查,_____外观及连接情况是否正常,正常继续测量,不正常则更换或维修。

7. 部件/电路测试。

1)使用万用表电压档位,检查 IG1 继电器_____号端子电压,标准值为当前蓄电池电压,实测值为_____,30 号端子输入电压正常。

2)使用万用表电阻档位,检查 IG1 继电器触点开关_____,标准值为_____,实测值无穷大,正常。

3)使用万用表电阻档位,检查 IG1 继电器线圈_____,实测值为无穷大,IG1 继电器线圈_____,故障确认。

8. 部件/电路复查。

更换 IG1 继电器，测量 IG1 继电器线圈电阻，实测值为_____，IG1 继电器线圈正常。

9. 确认故障已排除。

连接蓄电池负极，车辆上电，使用故障诊断仪对吉利帝豪 EV450 纯电动汽车进行_____和_____的读取，_____显示无故障码，确认故障已排除。

10. 诊断结论。

综合上述检测结果，判断故障点为：_____。

四、检查

故障排除后，用故障诊断仪清除故障码，并进行以下检查：

1. 检查仪表是否还有故障提示：_____。
2. 检查高压上电情况：_____。
3. 检查充电情况：_____。

五、评估

1. 请根据自己任务完成的情况，对自己的工作进行自我评估，并提出改进意见。

1) _____

2) _____

3) _____

2. 工单成绩（总分为自我评价、组长评价和教师评价得分值的平均值）。

自 我 评 价	组 长 评 价	教 师 评 价	总　　分

任务工单 6.2

任务名称	无法正常行驶故障诊断与排除	学时		班级	
学生姓名		学生学号		任务成绩	
实训设备、工具及仪器	吉利帝豪 EV450 纯电动汽车 4 台，故障诊断仪 4 个，示波器 4 个，车间防护用具 4 套，个人防护用具 4 套，绝缘工具 4 套，常用检测设备（数字钳形万用表、绝缘电阻测试仪）4 套，故障检测线 4 盒。	实训场地	一体化教室	日期	
客户任务描述	一辆吉利帝豪 EV450 纯电动汽车，客户反映启动车辆后，车辆无法行驶。经维修技师上电查看发现纯电动汽车可以正常上高压电，READY 指示灯点亮，挂档正常，把档位调到 D 位后，踩下加速踏板车辆无法行驶，仪表上故障提醒警告灯点亮，松开加速踏板故障提醒警告灯熄灭。经过维修技师诊断，确认是加速踏板电路故障，维修后故障现象消失，车辆可以正常行驶。				
任务目的	以行动为导向，引导学生制订计划，按照正确诊断流程诊断和修复故障。在此过程中学习相关理论和实践操作技能。				

一、资讯

1. 无法正常行驶故障一般分为两种情况，一种情况是车辆可以上_____，但是挂档踩下车辆不能行驶，另一种情况是车辆不可以上 READY，车辆无法正常行驶。

2. 车辆可以上高压电，但是挂档踩下加速踏板车辆不能行驶，通过现象可以分析出_____系统是正常的，_____系统出现故障，这种故障一般出现在_____加速控制单元、加速踏板本身及其相关电路。

3. 车辆不可以上高压电，车辆无法正常行驶，故障比较广，_____系统要分析，_____系统也要分析，主要还是要看不能上_____的故障现象，根据不能上高压电的故障现象进行具体分析。

4. 加速踏板信号经_____处理后，通过_____通信方式控制驱动电机转矩输出。

5. 车辆在行驶过程中，驾驶人的操作意图更多的时候体现在对_____的操控上，在此情形下加速踏板传感器自然成为一个"安全相关"设备。加速踏板故障出现时，纯电动汽车可以上_____，但是车辆不能行驶，加速踏板信号传递不到_____，VCU 是无法根据驾驶人意图进行控制的。

二、计划与决策

请根据故障现象和任务要求，确定所需要的检测仪器、工具，并对小组成员进行合理分工，制订详细的诊断和修复计划。

1. 需要的检测仪器、工具及防护用具。

2. 小组成员分工。

3. 诊断和修复计划。

三、实施

1. 填写车辆信息。
整车型号：_____ 工作电压：_____ 动力蓄电池容量：_____
车辆识别代码：_____ 电机型号：_____ 里程表读数：_____。

2. 故障现象确认。
根据客户描述的故障现象，检查组合仪表的故障提示，把档位调到_____位后，踩下_____车辆无法行驶，仪表上故障提醒警告灯点亮，松开_____故障提醒警告灯熄灭。

3. 连接故障诊断仪。
关闭点火开关，将故障诊断仪与车辆_____诊断口连接。

4. 故障码及数据流的读取。
1) 车辆上电，使用故障诊断仪对帝豪 EV450 纯电动汽车进行故障码和数据流的读取，读取 VCU 故障码，故障码为：_____断路或短路到地。
2) 数据流读取加速踏板 1 信号_____V，加速踏板 2 信号_____V。读取数据流时要踩加速踏板，观察数据流变化。
3) 通过仪表显示的信息和故障诊断仪所读取的信息，初步判断为_____可能出现故障，故障部位可能是_____或_____本身，由简入难的故障诊断思路，可以先对加速踏板_____电路进行检查。

5. 确定故障范围。
查阅吉利帝豪 EV450 纯电动汽车_____加速控制电路图，确定故障范围为加速踏板传感器_____及其相关_____、_____等，根据故障范围找到加速踏板_____及 VCU。

6. 基本检查。
断开蓄电池负极，等待_____min，进行基本检查，_____、_____插接器外观及连接情况是否正常，如果异常进行维修，正常进行下一步检查。

7. 部件/电路测试。
1) 检查加速踏板 1 信号，_____之间的电压标准值为_____V 左右，实测值为 4.52V，电路正常。
2) 检查加速踏板 1 信号，_____之间的电压标准值为 5.0V 左右，实测值为_____V，电路故障。
3) 检查加速踏板 1 信号，_____之间的电阻标准值小于 1Ω，实测值大于____Ω，电路断路，判断 CA67/100 至 CA04/10 之间电路_____，对故障进行维修。

8. 部件/电路复查。

维修后检查加速踏板 1 信号，_____之间的电阻标准值小于_____Ω，实测值小于 1Ω，维修后故障排除。

9. 确认故障已排除。

车辆上电，使用故障诊断仪对帝豪 EV450 纯电动汽车进行_____和_____的读取，_____显示无故障码，挂档踩下_____车辆可以正常行驶，确认故障已排除。

10. 诊断结论。

综合上述检测结果，判断故障点为：_____。

四、检查

故障排除后，用故障诊断仪清除故障码，并进行以下检查：

1. 检查仪表是否还有故障提示：_____。
2. 检查高压上电情况：_____。
3. 检查充电情况：_____。

五、评估

1. 请根据自己任务完成的情况，对自己的工作进行自我评估，并提出改进意见。

1) _____

2) _____

3) _____

2. 工单成绩（总分为自我评价、组长评价和教师评价得分值的平均值）。

自 我 评 价	组 长 评 价	教 师 评 价	总　　分

任务工单 6.3

任务名称	无法交流充电故障诊断与排除	学时		班级	
学生姓名		学生学号		任务成绩	
实训设备、工具及仪器	吉利帝豪 EV450 纯电动汽车 4 台,故障诊断仪 4 个,示波器 4 个,车间防护用具 4 套,个人防护用具 4 套,绝缘工具 4 套,常用检测设备(数字钳形万用表、绝缘电阻测试仪)4 套,故障检测线 4 盒。	实训场地	一体化教室	日期	
客户任务描述	一辆吉利帝豪 EV450 纯电动汽车,客户反映车辆插上充电枪,充了一晚上没有充进去任何电。经维修技师充电检查,发现充电线连接指示灯点亮,动力蓄电池充电指示灯未点亮,充电时充电口的充电环亮红色。根据故障现象,经过维修技师诊断,确认是 VCU 唤醒电机控制器的电路断路,修复后故障现象消失,车辆可以正常充电。				
任务目的	以行动为导向,引导学生制订计划,按照正确诊断流程诊断和修复故障。在此过程中学习相关理论和实践操作技能。				

一、资讯

1. 交流充电系统使用交流 _____ 单相民用电,通过 _____ 变换,将交流电变换为 _____ 给动力蓄电池进行供电。

2. 交流充电系统主要部件包括供电设备(电缆保护盒、充电桩及充电线等)、_____、车内高压线束、高压配电盒、_____、动力蓄电池、_____ 和低压控制线束等。

3. 充电故障症状主要有以下几个方面:
1) 充电(高低压)电路故障:电路老化、_____、短路、_____,电缆损坏。
2) 高压部件损坏:_____ 故障、动力蓄电池包故障。
3) 高压互锁故障:过电压、_____、过电流、_____、过温。
4) 通信故障:_____ 协议故障。
5) 充电时各系统 _____ 故障。

4. OFF 档或 ACC 档时,当充电枪插入后,_____ 检测由悬空变为搭铁(如果辅助控制模块处于睡眠状态,则 CC 检测唤醒辅助控制模块)。

5. 通过硬线唤醒_____（持续高电平），确认连接后辅助控制模块进行_____检测，待辅助控制模块检测到_____上有来自_____的报文时，将 CC、_____状态及检测结果发送到 CAN-BUS 上，待辅助控制模块检测到 VCU 转发的高压系统无故障之后，闭合开关_____。

6. ON 档时，当充电枪插入后，_____检测由悬空变为搭铁，确认 CC 连接后辅助控制模块进行_____检测，将 CC、CP 状态及检测结果发送到_____上，待辅助控制模块检测到_____发送的高压系统无故障之后，闭合充电桩_____输出开关。

二、计划与决策

请根据故障现象和任务要求，确定所需要的检测仪器、工具，并对小组成员进行合理分工，制订详细的诊断和修复计划。

1. 需要的检测仪器、工具及防护用具。

2. 小组成员分工。

3. 诊断和修复计划。

三、实施

1. 填写车辆信息。
整车型号：_____ 工作电压：_____ 动力蓄电池容量：_____
车辆识别代码：_____ 电机型号：_____ 里程表读数：_____。

2. 故障现象确认。
根据客户描述的故障现象，无法交流充电故障再现，发现_____连接指示灯点亮，_____充电指示灯未点亮，充电时充电口的充电环亮_____色。

3. 连接故障诊断仪。
关闭点火开关，将故障诊断仪与车辆_____诊断口连接。

4. 故障码及数据流的读取。
1) 读取_____系统故障码，故障诊断仪显示无故障码。
2) 数据流读取_____发出的 BMS 充电状态请求-禁止充电，OBC 输出充电电压_____ V，OBC 输出充电电流_____ A。
3) 通过仪表显示的信息、_____显示的信息和故障诊断仪所读取的信息，初步判断为 VCU 与_____的唤醒线可能出现故障，故障部位可能是_____，由简入难的故障诊断思路，可以先对 VCU 与电机控制器的唤醒线进行检查。

5. 确定故障范围。
查阅吉利帝豪 EV450 纯电动汽车 VCU 与_____的唤醒线电路图，确定故障范围为唤醒线、_____、电机控制器等，根据故障范围找到 VCU 与电机控制器的_____，CA66/16 至 BV11/14 之间。

6. 基本检查。
断开蓄电池负极，等待_____ min，进行基本检查，CA66、BV11 插接器外观及连接情况是否正常。

7. 部件/电路测试。

1）检查电路_____之间的电阻，标准电阻小于 1Ω，实测电阻大于_____Ω，CA66/16 至 BV11/14 之间的电路故障。

2）检查电路_____之间的电阻，标准电阻小于 1Ω，实测电阻小于_____Ω，CA66/16 至 CA58/23 之间电路无故障。

3）检查电路_____之间的电阻，标准电阻小于 1Ω，实测电阻大于_____Ω，BV11/14 至 BV01/23 之间电路故障，维修 BV11/14 至 BV01/23 之间的线束。

8. 部件/电路复查。

检查电路_____之间的电阻，标准电阻小于 1Ω，实测电阻小于_____Ω，CA66/16 至 BV11/14 之间电路故障已排除。

9. 确认故障已排除。

车辆上电，使用故障诊断仪对帝豪 EV450 纯电动汽车进行_____和_____的读取，VCU 显示无故障码，确认故障已排除。

10. 诊断结论。

综合上述检测结果，判断故障点为：_____。

四、检查

故障排除后，用故障诊断仪清除故障码，并进行以下检查：

1. 检查仪表是否还有故障提示：_____。
2. 检查高压上电情况：_____。
3. 检查充电情况：_____。

五、评估

1. 请根据自己任务完成的情况，对自己的工作进行自我评估，并提出改进意见。

1）_____

_____

2）_____

_____

3）_____

2. 工单成绩（总分为自我评价、组长评价和教师评价得分值的平均值）。

自我评价	组长评价	教师评价	总　　分